Spanish AS/A

ánimo

Grammar Workbook

Carolyn Burch

OXFORD
UNIVERSITY PRESS

UNIVERSITY PRESS

Great Clarendon Street, Oxford OX2 6DP

Oxford   New York

Auckland   Cape Town   Dar es Salaam   Hong Kong   Karachi
Kuala Lumpur   Madrid   Melbourne   Mexico City   Nairobi
New Delhi   Shanghai   Taipei   Toronto

With offices in

Argentina   Austria   Brazil   Chile   Czech Republic   France   Greece
Guatemala   Hungary   Italy   Japan   Poland   Portugal   Singapore
South Korea   Switzerland   Thailand   Turkey   Ukraine   Vietnam

Oxford is a registered trade mark of Oxford University Press
in the UK and in certain other countries

Database right Oxford University Press (maker)

First published 2004

British Library Cataloguing in Publication Data

Data available

ISBN: 978 0 19 912534 0

10 9 8 7 6

Designed by Bleinheim Colour Limited, Eynsham, Oxford

Printed in Spain by Unigraf S.L.

Contents

Introduction

This *Ánimo Grammar Workbook* is intended to supplement *Ánimo 1 and 2* in order to strengthen your grasp of the Spanish language and improve your accuracy. Working though the tasks in this book will help you to increase your level of performance in written Spanish and will also boost your fluency in spoken Spanish. By reinforcing your familiarity with Spanish language patterns it should also improve your reading and listening comprehension skills.

As you will see from the contents page, the majority of the book covers points required for AS Spanish. The few points that are additional requirements for A2 only are covered towards the end of the book.

Each section of the book is followed by revision pages, and at the end there is a revision section covering all the major points of the book.

There are various ways in which you could use the tasks in this book:

- to assess your strengths in a particular area
- to practise a particular grammar point alongside the work you are doing in class on that aspect of the language, especially if you find it is an aspect on which you need to do more work
- to revise key language points before a test or examination (for this you may choose to use the revision sections of the book).

On each main grammar point, there is always at least one task in which you are simply required to recognize and understand the meaning of some Spanish which includes examples of that particular point. You then move on to tasks that require you to produce some accurate Spanish.

The answers to the tasks (with a few exceptions in the case of tasks where you have a more open-ended choice of how to respond) are provided in a separate booklet.

Nouns and determiners

Gender

Reminder

◆ All nouns in Spanish are either masculine or feminine. The ending of a noun often indicates its likely gender, as shown in the table of typical masculine and feminine endings below.

masculine endings	main exceptions
-o	la mano, la foto(grafía), la moto(cicleta)
-e	la calle, la carne, la clase, la fe, la fiebre, la frase, la fuente, la gente, la leche, la llave, la muerte, la nieve, la noche, la nube, la parte, la sangre, la suerte, la tarde, la torre
-i	la bici(cleta)
-l	la sal, la señal
-r	la flor
-u	la tribu
-y	la ley
feminine endings	**main exceptions**
-a	el día, el mapa, el planeta, and most nouns ending in -ma: el tema, el problema
-ción, -sión and most other nouns ending in -ión	el avión, el camión
-dad, -tad, -tud	
-dez	
-ed	el césped
-ie	el pie
-itis	
-iz	el lápiz
-sis	el análisis, el énfasis, el paréntesis
-umbre	

A Look at the list of noun endings typical for each gender. Add two more examples for each ending. Check the gender in a dictionary to make sure it's not one of the exceptions!

Typical masculine endings

1 -o   el aeropuerto,
       el _____, el _____

2 -e   el medio ambiente
       el _____, el _____

3 -l   el fútbol,
       el _____, el _____

4 -r   el comedor,
       el _____, el _____

Typical feminine endings

5 -a   la casa,
       la _____, la _____

6 -ción, -sión   la función,
       la _____, la _____

Reminder

◆ *El* is used instead of *la* in front of feminine nouns beginning with a stressed *a* or *h*, e.g. *el agua*.

B Check the genders of these common nouns in a dictionary and fill in *el* or *la* as appropriate each time.

1 _____ leche   7 _____ cantidad
2 _____ institución   8 _____ problema
3 _____ congelador   9 _____ víctima
4 _____ gente   10 _____ león
5 _____ persona   11 _____ hambre
6 _____ clima   12 _____ idioma

Reminder

◆ Nouns referring to people (jobs, nationalities, etc.) usually have a masculine and a feminine form.

C Give the feminine form of the following nouns. Not all will change their ending; if in doubt, check the feminine form in a dictionary.

1 maquinista   _____
2 portugués   _____
3 fundador   _____
4 estudiante   _____
5 madrileño   _____
6 profesor   _____
7 joven   _____
8 enfermero   _____
9 americano   _____
10 turista   _____

Singular and plural nouns

Reminder

◆ Nouns ending in an unstressed vowel or stressed é or á add -s to make the plural. Those ending in a stressed vowel or a consonant add -es. Those with an accent on the final syllable lose it in the plural.

A Complete the chart. Check in a dictionary as the list includes some exceptions.

	singular	plural
1	la mano	
2	el colegio	
3	el café	
4	el inglés	
5	el sofá	
6	la revolución	
7	el rey	
8	la cabeza	
9	la comunidad	
10	el ordenador	

Reminder

◆ Nouns ending in -z exchange the -z for -ces. Nouns with a final unstressed syllable ending in -s do not change in the plural.

B Give the plural.
1 la luz   las _____
2 el lunes   los _____
3 la voz   las _____
4 el autobús   los _____
5 el andaluz   los _____

Reminder

◆ Occasionally Spanish uses a singular noun where English uses a plural, or the other way round.

C Use a dictionary to complete the following sentences.
1 Ha puesto (clothes) _____ en la maleta.
2 Estuve horas esperando para pasar por (customs) _____ .
3 Este año voy de (holidays) _____ a Salamanca.
4 Nuestro profesor de alemán siempre nos da (homework) _____ .

D Complete this paragraph using plural forms of the nouns in the box.

En mi ciudad, casi todas las (4) _____ van de (2) _____ a los (3) _____ porque es más fácil y en el parking hay lugar para (4) _____ de (5) _____ .
Pero yo prefiero los (6) _____: me gusta mucho ver los (7) _____ de las (8) _____ y de las (9) _____ , y oír las (10) _____ de los (11) _____ .

> ciento   mercado   color   coche   vendedor
> fruta   supermercado   verdura   compra
> ciento   familia   voz

Suffixes

Reminder

◆ Suffixes are endings added to nouns (and occasionally adjectives) to put a particular emphasis on their meaning.
Diminutive suffixes (-ito/-ita, -illo/-illa) imply 'little'.
Augmentative suffixes (-ón/ona, -azo/aza, -ote/ota) imply 'big'.
Pejorative suffixes (-ucho/ucha, -acho/-acha, -uzo/-uza, -uco/-aca, -(z)uelo/-(z)uela) imply 'worse'.
Some suffixed nouns have come to have a meaning of their own, e.g. palabrota (swear word).

A Match the nouns on the left with their meanings on the right, drawing a linking line between each pair.
1 hombretón   a little while
2 gripazo   a huge door
3 chiquilla   a short little chap
4 perrito   a little bell
5 ratito   a nasty bout of the flu
6 campanilla   a hefty bloke
7 bajito   a very small girl
8 portón   a little dog

Definite and indefinite articles

A Decide whether the definite or the indefinite article makes sense in these sentences and fill in the correct word each time (*el*, *la*, *los*, *las*, *un*, *una*, *unos* or *unas*).

1 En _____ centro de Madrid hay demasiado tráfico.
2 Tengo _____ amigos en España.
3 En mi ciudad hay _____ tiendas y _____ campo de fútbol, pero no hay _____ piscina.
4 Sevilla es _____ ciudad muy histórica con _____ monumentos fantásticos.
5 Tengo _____ perro, pero no me gustan _____ gatos.
6 Mis vecinos tienen _____ jardín grande, con _____ árboles hermosos.
7 Mis deportes preferidos son _____ tenis y _____ natación, pero también me gusta ver _____ fútbol.
8 En _____ Pirineos se pueden ver _____ aves magníficas.
9 A _____ turistas alemanes les gustan _____ playas españolas.
10 Ayer por _____ tarde tuvo lugar _____ accidente de tráfico en _____ plaza Cervantes. _____ motociclista que estaba doblando a _____ izquierda chocó contra _____ coche. _____ conductor del coche, _____ señor de 60 años, no resultó herido, pero _____ motociclista sufrió _____ fracturas en _____ mano y en _____ rodilla.

B Translate into Spanish.
1 Pablo is a dentist.
_____
2 Conchita hopes to become a teacher.
_____
3 My brother is an engineer and my sister is a student.
_____
4 I'd like to be a translator.
_____
5 His dream is to be a tennis player.

C Underline the articles in these sentences, then translate the sentences into good English.
1 Los zapatos Gucci son muy caros.
_____
2 La vida en Madrid es muy interesante.
_____
3 ¿Cuál es tu opinión – los niños son menos inteligentes que los adultos?
_____
4 El vino español es menos caro que el vino francés.
_____
5 Me gustan mucho las tapas y la cerveza española.
_____

D Translate these sentences into Spanish, paying particular attention to whether or not you need to include articles.
1 Venezuela is a beautiful country.
_____
2 Chilean enchiladas are delicious.
_____
3 I'd like to become a journalist, but probably I'll become a secretary!
_____
_____
4 German cars are popular in all of Europe, but Spanish cars are less expensive.
_____
_____
5 Most traditional Andalucian houses are white.
_____
6 He likes sports, especially basketball and pelota.
_____
7 My father is a plumber and my brother is a nurse.
_____
8 He has hurt his head and his hand – he's in a bad mood!
_____
9 I don't like romantic films very much but I do like funny films.
_____
10 She is allergic to peanuts so she doesn't eat cakes.
_____

Reminder

◆ *Lo* is used with an adjective to form a kind of abstract noun.

E Translate the following sentences into English.

1 Lo bueno es que tengo un nuevo trabajo. Lo malo es que hay que trabajar los sábados.

_____

_____

2 Lo interesante es que Felipe va a casarse con Mercedes.

_____

3 Lo triste es que la madre de Juan está enferma. Lo bueno es que se está recuperando.

_____

_____

Reminder

◆ *De* + *el* contracts to *del*, and *a* + *el* contracts to *al*.

F Complete the following phrases using *al* or *del*.

1 Voy [a] el cine. _____

2 el director [de] el colegio _____

3 el bar [de] el teatro _____

4 Han ido [a] el supermercado. _____

5 el pronóstico [de] el tiempo _____

G Translate the following sentences into Spanish.

1 The head [*la directora*] of the marketing department is ill.

_____

2 She saw a bull in the middle of the field.

_____

3 Ana is going to send an e-mail to the bank.

_____

4 He gave the horse a carrot.

_____

5 I've taken 100 euros from the cashpoint and now I'm going to the market.

_____

_____

6 I'm going to ring the hospital.

_____

Possessive adjectives

Reminder

◆ Possessive adjectives (*mi*, *tu*, *su*, *nuestro*, *vuestro*, *su*) must agree (masculine/feminine, singular/plural) with the noun that follows them. Only *nuestro* and *vuestro* change their ending from -o to -a for the feminine, but all of them add an -s for the plural.

A Translate the following phrases into Spanish.

1 my brothers _____
2 our grandparents _____
3 your (*tú*) homework _____
4 their jeans _____
5 his books _____
6 your (*Vd.*) car _____
7 our sisters _____
8 your (*vosotros*) house _____

B Complete the passage with the correct form of the appropriate possessive adjective each time.

Muchos jóvenes dicen que (**1**) _____ padres no están de acuerdo con (**2**) _____ opiniones. Por ejemplo, Luisa dice que a (**3**) _____ padre no le gusta (**4**) _____ amigos. 'Pero tengo derecho a elegir a (**5**) _____ amigos, sin pedirle (**6**) _____ opinión,' dice Luisa.

El problema de Xavier es que a (**7**) _____ madre no le gusta (**8**) _____ ropa, sobre todo (**9**) _____ camisetas con eslóganes. 'Me pregunta siempre: ¿Por qué nunca llevas (**10**) _____ camisa verde que te han comprado (**11**) _____ abuelos? O: ¿Dónde están (**12**) _____ zapatos?'.

Reminder

◆ There is also a 'long' or 'strong' form of possessive adjectives: *mío*, *tuyo*, *suyo*, *nuestro*, *vuestro*, *suyo*. This is used in comparisons, or after the verb *ser*. It is also used in phrases equivalent to English 'of mine', e.g. *una idea mía* 'an idea of mine'. Sometimes *de* + a subject pronoun is needed instead of *suyo* etc. to avoid ambiguity.

C Translate the following sentences into English.

1 Tu novio es más guapo que el mío.

_____

2 Estas llaves son nuestras, no son vuestras.

_____

3 El bocadillo de jamón es tuyo; el de queso es mío.

_____

Adjectives and adverbs

Agreement of adjectives; shortened adjectives

Reminder

◆ In Spanish, adjectives have different endings depending on whether the words they describe are masculine or feminine, singular or plural.

A In each of these sentences, underline the adjective(s) and circle the ending(s). Circle the noun each adjective describes. Note at the end of the sentence whether the noun is masculine or feminine, singular or plural.

1 Me gustaría encontrar a mi pareja perfecta. _____
2 Mi amiga ideal es simpática y animada. _____
3 Mi padre y yo somos muy obstinados. _____
4 Muchos jóvenes mantienen una buena relación con sus padres. _____
5 Para mis padres, es muy importante pasar su tiempo libre con sus hijos. _____

B Circle the correct adjective(s) in each sentence.

1 Mi hermano Federico sale con una chica inglesa/inglés, Michelle.
2 Mi madre está preocupada/preocupadas porque no le gusta Michelle.
3 Federico dice que nuestra madre es obstinada/obstinado y que Michelle es muy simpáticas/simpática.
4 Mi opinión personal/personales es que los tres son inteligente/inteligentes y que lo importante es conocerse un poco.

C Complete the following passage with the correct forms of the adjectives in the box.

Mis padres no se llevan bien y a menudo están (1) _____. Pero mi abuela es (2) _____. Siempre está alegre, y (3) _____ de verme. Me da (4) _____ regalos y escucha mis problemas (5) _____. También me cuenta historias (6) _____ de su juventud. Después de haber charlado con ella, me siento menos (7) _____. ¡Es mi (8) _____ amiga!

> interesante pequeño triste contenta
> diferente personal estresado mejor

Reminder

◆ Most adjectives simply exchange the final -o for an -a for the feminine form, while those ending in -e change only to add an -s for the plural. Adjectives ending in -án, -ín, -ón, -or and -és add a final -a for the feminine form, -es for the masculine plural form and -as for their feminine plural. Watch out for disappearing accents when these adjectives add endings.

D Complete the list with the feminine forms of the adjectives.

1 un monumento interesante – una película _____
2 un chico encantador – una chica _____
3 un bar barcelonés – una canción _____
4 un vestido verde – una falda _____
5 un empleado holgazán – una empleada _____
6 un actor español – una actriz _____

Reminder

◆ Some Spanish adjectives shorten when placed in front of masculine singular nouns.

E Complete the following passage, choosing a suitable adjective from the box for each gap, adding agreements as necessary and using the appropriate shortened forms.

La semana pasada fui a la costa con un (1) _____ amigo. No lo pasamos muy bien. El (2) _____ día, hacía muy (3) _____ tiempo. Teníamos hambre, pero ¡no había (4) _____ restaurante (5) _____! El (6) _____ día visitamos la casa de un (7) _____ escritor, pero no me gustó – fue muy (8) _____ .Y el (9) _____ día, tuvimos que volver a casa. ¡Qué desastre!

> aburrido tercero primero abierto
> bueno segundo grande malo ninguno

Position of adjectives

Reminder

◆ Most adjectives in Spanish go **after** the noun that they describe.

A Underline the adjectives and translate the phrases into English.

1 una familia unida   _____
2 un profesor serio   _____
3 un documento confidencial _____
4 una pregunta interesante   _____
5 unas decisiones difíciles   _____

B Translate the following into Spanish.

1 a pleasant day   _____
2 a happy family   _____
3 the intelligent students   _____
4 some important exams   _____
5 classical music   _____
6 a wonderful present   _____
7 a stupid answer   _____
8 the shy children   _____
9 my French friends   _____
10 a permanent crisis   _____

Reminder

◆ A number of common adjectives can be placed before or after the noun.

C Translate the following into English on a separate sheet.

Mañana el pobre Pedro va a pasar un mal día. Unos jóvenes estudiantes van a hacer una gran fiesta en el viejo bar debajo de su pequeño apartamento.

Reminder

◆ Some adjectives change their meaning according to whether they are placed before or after the noun.

D Look at the adjectives in the following sentences and decide which of the alternative meanings (given at the end of each sentence) is correct.

1 Mi vieja amiga tiene dos hijos grandes.
   [old (long-time)/old (aged); big/grand]

2 Este político es un gran hombre – siempre ha comprendido la situación de los agricultores pobres.
   [great/big; poor (pitiful)/poor (financially)]

3 ¿Tienes una nueva amiga?
   Sí, y veo que tú tienes un coche nuevo.
   [new (different)/brand new]

Reminder

◆ Only a very few adjectives always come **before** the noun in Spanish. These include possessive adjectives and adjectives of quantity.

E Translate the following sentences into English.

1 ¿No has comido bastante chocolate?

   _____

2 Pero sí –¡he comido demasiado chocolate!

   _____

3 En esta ciudad hay muchas tiendas pero pocos restaurantes.

   _____

4 En la biblioteca no vi a ningún estudiante, pero sí ví a otras personas – por ejemplo, algunos viejos durmiendos.

   _____

   _____

(See page 9 for a reminder about the shortening of some adjectives when placed before a noun.)

Reminder

◆ When there is more than one adjective describing a noun, you have a choice: if they are of equal importance, you place them after the noun and join them with y; otherwise, the adjective that is less closely connected to the noun is placed before it.

F Translate the following sentences into Spanish.

1 She was driving a small black car.

   _____

2 He bought some expensive white flowers.

   _____

3 They are on holiday in a beautiful French villa.

   _____

4 She has two unattractive and boring brothers, but they are rich!

   _____

   _____

Comparative and superlative adjectives

Reminder

♦ To compare two things, use *más … que*, *menos … que*, or *tan … como*.

A Fill in the most appropriate words: *más*, *menos* or *tan*, and *que* or *como*.

1 El café es _____ nocivo _____ los cigarrillos.
2 El pan no es _____ delicioso _____ la torta, pero es _____ sano _____ la torta.
3 La mantequilla es _____ cara _____ el aceite de oliva, y además el aceite es _____ sano _____ la mantequilla.
4 La gripe no es _____ peligrosa _____ la pulmonía.

Reminder

♦ The adjective in a comparative sentence agrees with the noun it relates to.

B In exercise A above, circle the endings on the adjectives. Then write a sentence following the same pattern for each of the following groups of words.

1 pollo, hamburguesas, sano

2 tomates, chocolate, apetecible, sano

3 esquí, pesca, emocionante, peligroso

4 Alemania, montañosa, España

Reminder

♦ A few comparative forms are irregular:
bueno > mejor; malo > peor; grande > mayor; pequeño > menor
They are usually placed before the noun.
Note that to compare physical size, *más/menos grande/pequeño* are used, while *mayor* and *menor* are used to compare age, degrees of importance and abstract size, e.g. *la mayor parte*.

C Underline the appropriate word to complete these sentences.

1 La mejor/peor solución es la educación.
2 Una naranja es mejor/peor para la salud que unos churros.
3 Mi hermano menor/mejor me gusta menos que mi hermana mayor/más grande.
4 Las casas del campo son mayores/más grandes que las de la ciudad.

Reminder

♦ To say 'the most' or 'the least' use *el*, *la*, *los*, *las* or *lo* with *más* or *menos* and the adjective.

D Complete these sentences with *el*, *la*, *los*, *las* or *lo* and *más* or *menos* to form the superlative of the adjective. Then translate the sentences into English.

1 Yo creo que Salamanca es _____ ciudad _____ hermosa de España.

_____

2 En muchos países, el SIDA es uno de _____ problemas _____ serios para los médicos.

_____

3 La jubilación es _____ tema _____ interesante para los jóvenes.

_____

4 No me gusta el snooker; es _____ deporte _____ aburrido del mundo.

_____

5 Las comedias mexicanas están entre _____ películas _____ populares.

_____

Reminder

♦ The adjective agrees with the noun that comes immediately before it.

E Underline the correct form of the adjective in each of these phrases.

1 las drogas más peligroso/peligrosas
2 las calles más sucias/sucios
3 la familia menos contentos/contenta
4 el plato menos sana/sano
5 la enfermedad más grave/graves

Reminder

◆ Spanish adjectives have an absolute superlative (extremely, absolutely, the most, etc.) which is formed by replacing the final vowel with *-ísimo(s)/ísima(s)*.

F Change the adjectives in the following sentences into absolute superlatives.

1 Acabo de comprar un ordenador rápido – me gusta mucho. _____

2 Para mí, la física es una asignatura aburrida y difícil. _____

More determiners: demonstrative and indefinite adjectives

Reminder

◆ Use *este, esta, estos, estas* to say 'this' and 'these'.

◆ Use *ese, esa, esos, esas* to say 'that' and 'those' referring to objects far from the speaker but near the listener(s).

◆ Use *aquello, aquella, aquellos, aquellas* to refer to objects far away from both the speaker and the listener(s). Note that *aquello* shortens to *aquel* when used with a masculine singular noun beginning with a consonant: *Odio aquel pueblo*, I hate that town.

A Translate into Spanish.

1 those mountains _____
2 this car _____
3 those ideas of yours (*tú*) _____
4 that town in Navarra _____
5 these jeans _____

B Choose the appropriate demonstrative to complete each sentence.

1 ¿Ves esta/aquello/aquella iglesia en la calle próxima?
2 Por favor, dame ese/esto/esta boli.
3 Voy a comprar dos kilos de aquellos/estas/estos manzanas – mm, ¡son deliciosas!
4 No me gustan estos/aquellas/esa chicas, siempre estan hablando de mí.
5 La droga, el crimen – señores, estos/esas/esto problemas son muy graves en nuestra ciudad.

C Translate into English.

1 Estas zapatillas de deporte son más caras que esas.
_____

2 ¿Qué son aquellos árboles?
Aquellos son manzanos, pero estos son perales.
_____

3 ¿Qué bocadillo prefieres? ¿Este de jamón o ese de queso?
_____

4 ¿Cuál es tu mochila? ¿Esta o esa?
_____

5 Necesito comprar algunas postales, pero no me gustan estas.
_____

6 ¿Cuál jersey vas a comprar? ¿Ese azul o este rojo?
_____

7 Me gustan los dos, pero hay que elegir – me llevo este.
_____

8 Niños, ¿veis aquellos caballos? Allí, delante de aquella casa.
_____

9 Estos vaqueros son demasiado pequeños. ¿Me puedo probar esos?
_____

10 ¿Ves a aquel hombre? Es él que me dio esas flores.
_____

Reminder

◆ The Spanish word for 'all' is *todo*. It works as an adjective, so must agree with the noun to which it refers.

D For each of the following sentences, underline the form of *todo* used, and circle the noun it refers to. Underline the appropriate abbreviation to indicate whether it is masculine or feminine, singular or plural.

1 He trabajado toda la semana.   m/f/sing/pl
2 Pasó todo el día durmiendo.   m/f/sing/pl
3 ¡Este ordenador va a ser la solución a todos sus problemas, señora!   m/f/sing/pl
4 Todos los bares están abiertos – ¡vamos a hacer la fiesta!   m/f/sing/pl
5 Todas las mujeres de nuestro pueblo asistieron a la manifestación.   m/f/sing/pl

E Complete these sentences with the correct form of *todo*.

1 En la Semana Santa, _____ la familia vino a visitarnos.

2 _____ mis primos vinieron de Chile.

3 _____ el mundo lo pasó bomba, comiendo, cantando, bebiendo y riendo.

4 _____ las chicas bailaron, pero algunos chicos no quisieron bailar.

(See page 29 for more information and practice on indefinite adjectives such as *mucho*, *otro*, *cada* etc.)

Interrogatives and exclamations

Reminder

♦ Question words (interrogatives) always have an accent in Spanish: *¿Dónde? ¿Cuándo? ¿Cómo? ¿Por qué? ¿Cuánto?* etc.

♦ *¿Cuánto?* is an interrogative adjective so if it refers to a noun it must agree with that noun, e.g. *¿Cuánta gente hay?*

♦ *¿Qué?* is used before a noun to ask 'which?' or 'what?' – it does not change its form. It is also used with verbs to ask more general questions, e.g. *¿Qué vamos a hacer?*

A Complete the questions in the following dialogue with the most logical interrogative, remembering to include an accent.

Luisa, dime, ¿_____ están mis llaves? ¿Las has visto?

¿_____? ¿_____ dices? ¿_____ veces has perdido esas llaves? ¿_____ es posible? ¿_____ no las pones cerca de la puerta como te lo he sugerido mil veces?

No sé, querida, me lo he olvidado, pero ahora me faltan y tengo mucha prisa. ¿_____ hora es? ¿_____ tiempo tengo?

Son las ocho menos diez. ¿_____ sale tu tren?

A las ocho y veinte. Lo voy a perder.

Mira, ¡aquí están tus llaves! ¡En el baño! Dios mío, ¿_____ voy a hacer contigo?

Reminder

♦ *¿Cuál?* also means 'which?' or 'what?' but is used to ask for more specific information, implying a choice between options, e.g. *¿Cuál es la capital de Bolivia? ¿Cuál?* does not change for the feminine but it has a plural form *¿Cuáles?*.

♦ *¿Quién?* means 'who?'. It does not change for the feminine but it has a plural form *¿Quiénes?*.

B Translate the following questions into Spanish.

1 What is the capital of Venezuela?

_____

2 Who is the president of Argentina?

_____

3 What solution do you suggest?

_____

4 Who are those men?

_____

5 What is the difference between Castilian Spanish and, for example, Colombian Spanish?

_____

_____

6 Who has phoned today?

_____

7 With whom are you going to the conference, Señor Ramón?

_____

_____

8 What were the causes of the Civil War?

_____

9 Who became President of Spain after the death of Franco?

_____

_____

10 What's your opinion? Who is going to win the election?

_____

_____

Reminder

◆ Words introducing exclamations always have an accent in Spanish.

C On a separate sheet of paper, translate the following phone conversation into English.

Escucha, Mercedes, tengo una noticia sorprendente sobre Miguel y Ana…

¿Qué noticia? ¿Van a divorciarse? ¡Qué lástima!

No, pero Miguel la ha dejado finalmente.

¿Cómo? ¿Miguel ha dejado a Ana? Pero ¡qué sorpresa! Yo habría pensado que Ana iba a dejar a Miguel. Bueno, ¡qué noticia!

Sí, qué hombre tan simpático, y ella, bueno, no quiero darte mi opinión sobre ella…

Sí, ¡qué escándalo!

Adverbs, intensifiers and quantifiers

Reminder

◆ Adverbs are used to describe a verb, an adjective or another adverb. English adverbs usually end in -ly. Spanish adverbs are formed by adding -mente to the feminine form of the adjective, although the adjective can sometimes be used as it is, e.g. rápido instead of rápidamente. The only common irregular adverbs are bien (well) and mal (badly).

A Write the adverb corresponding to each of these adjectives, and give its English meaning in brackets.

1 frecuente _____
(_____)
2 fácil _____
(_____)
3 triste _____
(_____)
4 malo _____
(_____)
5 tranquilo _____
(_____)
6 bueno _____
(_____)

Reminder

◆ Adverbs form their comparative in the same way as adjectives, by the addition of más or menos. For the superlative, include lo before más/menos. Use que to say 'than'.

The only common irregular comparative adverbs are mejor (better) and peor (worse).

B Complete the following sentences, choosing a comparative or superlative expression from the box.

1 Los hombres conducen mal, pero los jóvenes conducen _____ .
2 ¿Podría explicarme el problema _____ ?
3 Durmió mal el sábado, pero ayer durmió _____ .
4 Voy al cine _____ al teatro.
5 El ruso se aprende _____ el español.
6 Javier habla _____ su hermano.
7 Tengo que hablar _____ con él para resolver el problema.

> más frecuentemente que   más claramente
> menos fácilmente que   mucho mejor
> más seriamente   peor   menos rápido que

Reminder

◆ It is common in Spanish for an adjective or an adverbial expression to be used instead of an adverb, because adverbs ending in -mente can be long and clumsy.

C In each sentence, underline the word or expression that is used adverbially. Translate the sentences into English.

1 Me hablaron de una manera muy franca.
_____
2 En este restaurante se puede comer muy barato.
_____
3 Por fin llegamos a la casa.
_____
4 Federico trabaja de un modo bastante independiente.
_____
5 Adiós, y ¡conduce con cuidado!
_____

Reminder

- Words known as intensifiers and quantifiers can be placed before adverbs (or adjectives) to extend the meaning. The most common ones are *muy*, *bastante*, *mucho* and *poco*, but there are several other useful ones.

D In the following phrases, circle the **main** adverb or adjective, then translate into English the remaining words. These are the quantifiers or intensifiers.

1   muy felizmente   _____
2   completamente imposible   _____
3   bastante fácil   _____
4   demasiado caro   _____
5   mucho más importante   _____
6   cada vez más rápido   _____
7   especialmente difícil   _____
8   sumamente complicado   _____
9   aún menos frecuente   _____
10 totalmente ridículo   _____
11 poco prudente   _____
12 realmente fantástico   _____

E Choose any suitable phrase from those in exercise D to complete each of the following sentences. Remember to add agreements if necessary.

1   Este problema es _____

2   Tienen unas ideas _____

3   El precio de los pisos aumenta

    _____

4   Para mí, la solución que propones es

    _____

5   ¿Te has dado cuenta que Carmen me habla

    _____?

F Write sentences in Spanish to include six other expressions from exercise D.

_____
_____
_____
_____
_____
_____

G Translate the following paragraph into Spanish.

Robberies are happening more and more often. Everyone is very concerned. The police say that crime detection is extremely complicated and too expensive but I think that excuse is totally ridiculous. They are completely obsessed with arresting motorists who drive with little care; obviously, that problem's very important but in my opinion robberies are much more serious.

_____
_____
_____
_____
_____
_____
_____
_____
_____

Revision: nouns, determiners, adjectives, adverbs

A Underline the noun in each list that has a different gender to the others.

1 libertad   sistema   idea   concepción   sala

2 ambiente   resultado   análisis   frase   coche

3 avión   historia   cantidad   gente   investigación

4 crimen   robo   descubrimiento   proceso   pena

5 droga   adicción   problema   pobreza   relación

B Complete this paragraph using singular or plural forms of the nouns in the box as appropriate.

En nuestro (**1**) _____ de (**2**) _____, tenemos mucha (**3**) _____. Hay seis (**4**) _____ nuevos, con muchos (**5**) _____ útiles. Siempre trabajamos en (**6**) _____ para hacer (**7**) _____ por Internet – por ejemplo, cuando tenemos (**8**) _____ a escribir y necesitamos (**9**) _____ u otros (**10**) _____ sobre la (**11**) _____ en España. Tenemos también muchos (**12**) _____ como CDs y (**13**) _____. Con respecto a los (**14**) _____, hay una pequeña (**15**) _____ con los (**16**) _____, otras (**17**) _____ de (**18**) _____, y muchos (**19**) _____ de los (**20**) _____ hispanohablantes.

> estadística par obra proyecto país video
> departamento biblioteca programa dato
> ordenador vida referencia suerte mapa
> investigación lengua libro diccionario material

C Complete these sentences with *un, una, el, la, unos, unas, los, las, lo* or no article, as appropriate. In two instances you will need *al* or *del*.

1 Después de dejar _____ colegio, quiero trabajar como _____ guía turística, antes de ir a _____ universidad.

2 Si es posible, me gustaría encontrar _____ puesto en _____ sur de España, porque ya conozco _____ poco Andalucía.

3 He comprado _____ libros sobre _____ región – me interesa no sólo _____ paisaje y _____ atracciones turísticas, pero _____ historia también.

4 _____ Moros construyeron _____ palacios fantásticos en esta parte _____ país: por ejemplo, _____ Alhambra de Granada, donde hay también _____ jardín magnífico.

5 Visité _____ palacio _____ verano pasado. Me gustaron mucho _____ fuentes y _____ estanques. _____ interesante es que en _____ época de _____ Moros, _____ agua representaba _____ riqueza. Hoy en día _____ agua es todavía muy preciada en _____ Andalucía.

D Translate these phrases into Spanish.

1 her boss and his enormous salary

_____

2 our area and its traffic problems

_____

3 my life and my future plans

_____

4 His friends live near ours.

_____

5 That is your opinion but it's not mine.

_____

6 I've parked my car next to theirs.

_____

E Rewrite the following sentences including the adjectives given in brackets after each one. Think carefully about the position and agreement of the adjectives.

1 Mis amigos quieren un piso con un balcón y una vista.
(portugués   nuevo   grande   bonito)

_____

_____

2 No estoy de acuerdo con sus ideas, pero es un amigo y un colega.
(todo   político   bueno   simpático)

_____

_____

3 ¡La hermana de mi amiga va a casarse con un torero!
(mayor   madrileño   grande   colombiano)

_____

_____

F Translate the following sentences into Spanish.

1 His family is larger than mine but more united.

_____

_____

2 The majority of Spanish universities are smaller than British ones.

_____

_____

3 Vegetarianism is not as popular in Spain as it is in the UK.

_____

_____

4 Organic food is not always more expensive, but it is more common in markets than in supermarkets.

_____

_____

_____

5 Vegetables and fruit are cheaper than cheese and meat, and healthier too!

_____

_____

6 He drives less carefully than his wife, but she drives faster.

_____

_____

7 He writes much better than she does, but much more slowly.

_____

_____

G Circle the most appropriate demonstrative adjective to complete each sentence.

1 ¿Ves estas/esos/aquellas montañas en la distancia? Son los Pirineos.

2 Ven aquí y mira – en ese/este/aquella mapa podemos ver la ruta completa.

3 Siempre he vivido en este/ese/aquel pueblo, nunca he visitado Madrid, tampoco Granada; me gustaría mucho ver esos/aquellas/estas ciudades.

4 Por favor, dame ese/este/aquel CD – voy a cambiar de música porque detesto a esa/esta/aquella cantante.

H Translate the following sentences into Spanish.

1 What a catastrophe! How will she react?

_____

_____

2 Has she gone? What a shame! When did she leave?

_____

_____

3 What is the capital of Costa Rica? And who is the leader of the country?

_____

_____

4 Why are you getting up? What time is it? Oh no, what a pain – I'm going to be late for work!

_____

_____

5 What are the differences between life in Spain and life in Chile?

_____

_____

What a question! How much time have you got?

_____

Prepositions, conjunctions and pronouns

Prepositions

Reminder

- ♦ Prepositions often tell you about the position of something.
  (Check page 8 for a reminder about *al* and *del*.)

A Choose a suitable preposition from the box below to complete each gap in the following sentences.

1 La oficina está _____ la iglesia, _____ una pastelería y una librería. (opposite, between)

2 Es difícil aparcar _____ la calle. (in)

3 Pero hay un parking _____ la plaza, _____ el hotel Mirador. (behind, next to)

4 No se puede fumar _____ la oficina. (inside)

5 Si me llamas, te encontraré _____ el edificio. (in front of)

6 Si no estoy en la oficina, deje las cartas _____ la mesa, o _____ la silla _____ la ventana. (on, on, under).

> sobre   al lado de   en   detrás de   enfrente de
> debajo de   entre   dentro de   delante de

Reminder

- ♦ Some prepositions tell you when something happens.

B Choose a suitable preposition from the box below to complete each gap in the following paragraph.

Tengo trabajo en este garaje (**1**) _____ el verano, (**2**) _____ ir a la universidad. Pero si tengo bastante dinero, voy a ir de vacaciones (**3**) _____ dejar mi empleo. El horario no es malo: hay que llegar (**4**) _____ las ocho (**5**) _____ la mañana, y tenemos dos horas libres (**6**) _____ la una (**7**) _____ las tres. Generalmente salgo (**8**) _____ las cuatro.

> hacia   después de   a   desde
> antes de   durante   hasta   por

C Translate these sentences into Spanish.

1 We were dancing from 10 p.m. to 2 a.m.

_____

2 I'll arrive around eight o'clock and will wait for you in front of the cinema – it's opposite the cathedral.

_____

_____

3 Give me that book – look, it's on the floor, under the newspaper, between the sofa and the chair.

_____

_____

4 If we leave in the evening, after the rush hour, we'll be there in two hours.

_____

_____

Reminder

- ♦ In Spanish you do not always use the same prepositions as in English.

D Study the following sentences and translate the bold phrases into English.

1 No llegó **a tiempo**; llegó **al día siguiente**.

_____

2 Vivo a **50 km de** Madrid.

_____

3 Telefonea a su madre **dos veces a la semana**; ¡siempre hablan **sobre el tiempo**!

_____

4 ¿Prefieres estar **al sol** o **a la sombra**?

_____

5 Tienen un hijo **de nueve años**.

_____

6 Le gusta **ir de compras** con su hermana.

_____

7 Voy al trabajo **en bici**, pero cuando llueve voy **en autobús**.

_____

8 Mi libro estaba **en la mesa**, pero se cayó **al suelo**.

_____

9 El tren salió finalmente **hacia las dos**.

_____

Reminder

◆ Prepositions often need careful attention as it is often not the most obvious translation that is appropriate and it will vary from context to context.

Reminder

◆ The prepositions *para* and *por* need special attention; they can both be translated as 'for' but each also has other meanings.
Para usually relates to purpose, destination or use.
Por often has the meaning 'along', 'by' or 'through'.

E In the following sentences, underline the prepositions and the nouns to which they relate. Write in the space at the end of each an appropriate translation of the words you have circled. Think about the contextual meaning of the sentence as a whole and check possible meanings in a dictionary – don't assume it's the most obvious one.

1 Según nuestros cálculos, esta ciudad tiene sobre sesenta mil habitantes.
   _____   _____

2 Esos criminales van a comparecer ante el tribunal mañana; a mi ver, Martínez es el peor de todos.
   _____   _____   _____

3 Por fin llegaron, pero estuve horas esperándoles – estuve bajo la lluvia desde las once.
   _____   _____   _____

4 Pero ¡mi padre se cayó por la escalera! Ante esa situación, no pude irme con prisa.
   _____   _____   _____

F Translate the following into Spanish using prepositions from exercise E.

1 According to my father, delinquents like that should appear before a judge.
   _____
   _____

2 Faced with these problems, the government should take some decisions – and in a hurry!
   _____
   _____

3 Of all the bars in Madrid, this is the largest – in my view, there are around 500 people in here.
   _____
   _____

G Choose *por* or *para* in each of the following sentences and underline the one you have chosen.

1 El autobús pasa por/para la calle.
2 ¿Tienes las entradas por/para el concierto?
3 Andábamos por/para el centro histórico.
4 ¿Por/Para dónde se va al Correo?
5 Sale por/para Colombia, y viajará por/para Brasil.
6 Los niños entraron por/para la ventana por/para sorprendernos.
7 Por/Para empezar, elegí este cuchillo, pero no es apropiado por/para este trabajo.
8 El tren pasa por/para esta ruta por/para la mañana, de camino por/para Sevilla.

H Now translate the following into Spanish, using *por* or *para* as appropriate.

1 To get to Spain they will travel through France by car.
   _____

2 At first she chose this computer for her work but she should have bought a laptop for her journeys.
   _____

3 We're looking for a cashpoint – is there one near here?
   _____

   Yes, take the street on the right and cross the bridge – there's a cashpoint on the corner.
   _____

4 I was walking around the market looking for a present for my mother.
   _____
   _____

Reminder

♦ The preposition *de* has many uses, and does not necessarily correspond to the English 'of'.

I Underline the construction with *de* in each sentence and write a translation of the sentence in the space below.

1 Llevaba una camisa de seda.

_____

2 No estoy de acuerdo contigo.

_____

3 El rojo no está de moda.

_____

4 Aquel edificio de ocho pisos data del siglo XX.

_____

5 El señor de Madrid hablaba de sus negocios.

_____

6 De vez en cuando voy de compras con mi madre.

_____

7 Mi hermana tiene un hijo de dos años.
  ¿Ah, de veras?

_____

_____

8 El camión de Juan ya estaba lleno de madera.

_____

J On a separate sheet, use each of the eight constructions you have identified in exercise I to write a sentence in Spanish.

Reminder

♦ The preposition *a* has many uses, and does not necessarily correspond to the English 'at' or 'to'.

K Use a dictionary as necessary to find the Spanish expressions equivalent to the following English ones.

1 at the end of the year

_____

2 on the next day

_____

3 on the left

_____

4 on time

_____

5 at 10 euros a kilo

_____

6 in the shade

_____

7 five times a month

_____

8 at the age of eighty

_____

9 20 km from my house

_____

10 at times

_____

L Now translate the following sentences into Spanish.

1 At times you can buy apples in the market at two euros a kilo.

_____

2 Take that road on the right and we'll be able to park in the shade.

_____

_____

3 At the age of sixty she was still swimming three times a week.

_____

4 On the next day there was an bad accident only a few metres from my mother's house.

_____

_____

5 At the end of the year I'm taking my holiday.

_____

6 You will not finish in time, I'm sure.

_____

Reminder

♦ When a person or animal is the direct object of a verb, the preposition *a* must be placed in front of the noun. When used in this way it is called the 'personal *a*'.
Remember that *a* will combine with *el* to form *al*.

M Choose a verb from the box for the gap in each sentence, using each verb only once. Put the verb into an appropriate form for the context and insert the personal *a* at the appropriate point.

1 El niño _____ su hermano porque había tomado su juguete.
2 _____ su profesora de inglés.
3 La bala _____ la víctima.
4 _____ su marido durante tres años.
5 _____ camarero que se diera prisa.
6 _____ su amigo.

| odiar   matar   echar de menos |
| golpear   pedir   engañar |

Conjunctions

Reminder

◆ Conjunctions are linking words.

A Choose a suitable ending for each sentence, underline the conjunction used in each case and write the English meaning of the conjunction in the brackets afterwards.

1 Es un pueblo turístico, ☐
2 Estudia para sus exámenes, ☐
3 Los estudiantes se quejan ☐
4 He comprado dos teléfonos móviles, ☐
5 Mis padres me critican ☐
6 Salió de la casa ☐
7 ¿Te gustaría jugar al tenis ☐
8 Vivo todavía con mis padres ☐

a después espera ir a la universidad. (_____)
b cuando llego a casa demasiado tarde. (_____)
c o prefieres ir al cine? (_____)
d así que hay muchos hoteles. (_____)
e y voy a dar uno de ellos a cada una de mis hijas. (_____)
f pero me gustaría más vivir solo. (_____)
g porque los profesores no escuchan. (_____)
h sin cerrar la puerta. (_____)

Reminder

◆ Certain conjunctions require the following verb to be in the subjunctive. (There is more detail and practice on this on page 72.)

B Check the meanings of the conjunctions in the box then choose a suitable one to complete each of the following sentences.

1 Iremos al parque _____ puedan ver las fuentes.
2 Hágalo _____ llamarle.
3 _____ haga buen tiempo, no vale la pena salir.
4 _____ vayas a Madrid, no te olvides de escribirme.
5 _____ compres los regalos, ven a verme.
6 No podemos comprar este coche _____ te toque la lotería.
7 ¿Cómo puedo leer _____ tocas la guitarra?

para que	sin que	cuando	a menos que
después que	mientras	antes de	

C Rewrite the following pairs as single sentences choosing a conjunction from those you have used in exercises A and B. You may need to change the form of the verb in the second sentence.

1 Antonio no fuma. Hace mucho deporte.
_____
_____

2 Bebe vino de vez en cuando. Nunca ha bebido demasiado.
_____
_____

3 Come muchas frutas. Trata de mantenerse en forma.
_____
_____

4 Corre cada mañana. Toma el desayuno.
_____
_____

5 Va al trabajo en bici. Hace buen tiempo.
_____
_____

6 Hace ejercicios. Ve la televisión.
_____
_____

D Translate the following sentences into Spanish, on a separate sheet of paper.

1 I would like to become a translator but I know it's difficult.
2 When he was younger he smoked much more.
3 While her friends were at the cinema she was working.
4 Many people are vegetarians because they think vegetables are healthier than meat.
5 You can't earn lots of money without working hard.
6 I'm going to have a shower before I go out.
7 Do you want to go to a bar after eating or do you prefer to go home?

Personal and reflexive pronouns

Reminder

◆ The subject pronouns are *yo*, *tú*, *él*, *ella*, *usted* (*Vd.*), *nosotros*, *vosotros*, *ellos*, *ellas*, *ustedes* (*Vds.*) but they are not used unless required for emphasis, or when the verb ending is not sufficient to make the subject clear. *Vd.* and *Vds.* are often included for politeness. Latin American speakers use *ustedes* rather than *vosotros*.
Note the accents on *tú* and *él* to distinguish them from the possessive pronoun *tu* and the definite article *el*.

A In each of the following sentences the subject pronouns have been included. Give the reason in each case.

1 Yo soy médico y ella es enfermera.
_____

2 Ella trabaja en Granada pero él vive en Málaga.
_____

3 Ellos son vegetarianos, pero ellas comen mucha carne.
_____

4 ¿Qué desean Vds.?
_____

5 Usted recibirá su carta mañana, y ella recibirá la suya el miércoles.
_____

Reminder

◆ *Tú* and its plural *vosotros* are the informal words for 'you'; *usted* (*Vd.*) and its plural *ustedes* (*Vds.*) are the formal words used for adults you do not know well. These decisions determine which form of the verb you use.

B Write beside each of these people which pronouns and verb forms you would use in addressing them: *tú*, *vosotros*, *Vd.* or *Vds.*

1 tus abuelos _____
2 el nuevo jefe _____
3 el hermano menor de tu amiga _____
4 dos clientes en la tienda donde trabajas _____
5 un grupo de niños _____
6 el perro de tu vecino _____

Reminder

◆ Reflexive pronouns are used to form reflexive verbs.

me	myself	*nos*	ourselves
te	yourself	*vos*	yourselves
se	himself/herself/ yourself (*Vd.*)	*se*	themselves/ yourselves (*Vds.*)

Remember that in the infinitive form the reflexive pronoun is attached to the end of the verb – *llamarse*, *darse prisa*.

C Fill in the reflexive pronouns in Maribel's description of her working day.

1 _____ acostumbro ahora a mi trabajo en el hospital.
2 _____ levantamos muy temprano, y hay que duchar _____ y vestir _____ muy rápido. _____ pongo mi uniforme de enfermera.
3 Los otros enfermeros _____ quejan de la rutina dura.
4 Yo prefiero callar _____, pero debo confesar que _____ siento cansada todo el tiempo.
5 Durante el día, _____ ocupamos de nuestro trabajo, y no tenemos tiempo para preocupar _____ de otras cosas.
6 En esta profesión, ¡no _____ aburre nunca!
7 Por la tarde, mis amigos y yo _____ encontramos en el bar.
8 Tomamos una copa y _____ divertimos, pero tengo que acostar _____ bastante temprano.

Reminder

◆ Reflexive pronouns are also used to convey 'each other'.

D Translate the following phrases into Spanish.

1 They love each other.
_____

2 They call each other on the phone every day.
_____

3 They meet in the square every evening.
_____

4 They often give each other little presents.
_____

5 Everyone's asking each other when they are going to get married.
_____

Direct object pronouns

Reminder

◆ A direct object pronoun replaces a noun that is the object of a verb. The Spanish direct object pronouns are: *me, te, lo, la, nos, os, los, las*. *Le* and *les* are sometimes used instead of *lo* and *los* to refer to male people.

A Underline the direct object pronoun in each sentence, then translate the sentences into English.

1 ¿Dónde está Miguel? ¿Lo ves?

2 Su novia lo ha dejado.

3 La policía nos conoce bien.

4 ¿Tienes esos documentos? No, los he perdido.

5 Escribo a menudo a mi madre. La quiero mucho.

6 ¿Tus llaves? Pero ¡las tienes ahí en la mano!

Reminder

◆ Direct object pronouns go in front of the verb, as seen in the exercise above. However, when the verb is in the **infinitive**, **present continuous** or the **imperative**, they are attached to the end of the verb.

B Underline the direct object pronoun in each sentence, then translate the sentences into English.

1 ¡Están mirándome!

2 No sé dónde está mi hermana – voy a buscarla.

3 Esa camisa está sucia. Lávala, por favor.

4 ¿Su nuevo CD? Está escuchándolo.

5 ¿Ves estos libros? Ponlos en ese estante.

6 ¿Su taxi? Sí, señora, voy a enviarlo ahora mismo.

7 Pedro, no has comido tus verduras. ¡Cómetelas, por favor!

8 ¿Dónde está tu mochila? No sé, estoy buscándola.

Reminder

◆ When you use a negative, *no* goes in front of the object pronoun.

C Write negative answers in Spanish, using direct object pronouns to avoid repeating the words in bold.

1 ¿Tienes **los billetes**?
No, _____

2 ¿Esperas **a tu novio**?
No, _____

3 ¿Compras **este móvil**?
No, _____

4 ¿Visitamos **la catedral**?
No, _____

Reminder

◆ In the perfect tense, the direct object pronoun goes in front of *haber*.
In the future tense with *ir*, the pronoun may either be placed in front of the form of *ir* or joined to it.

D A cook is demonstrating a recipe. Underline all the direct object pronouns, then translate the passage into English on a separate sheet.

Bueno, hoy hacemos una ensalada de frutas, con naranjas, un melón, y uvas. Vamos a sazonarla con jengibre y menta. Bueno, aquí tengo las naranjas – las he pelado y las voy a cortar en rodajas … y las uvas, lo mejor es pelarlas, pero si no hay tiempo de hacerlo, no importa. Lo importante es cortarlas en dos y quitarles las pepitas. Yo las he pelado, como ven Vds. … también el melón, lo he cortado en pedazos. Bueno, ahora tomo todas las frutas y las mezclo en este bol. Es buena idea rociarlas con jugo de limón, para que no se descoloren … Ahora, el jengibre … tenemos que pelarlo y cortarlo en pedazos muy pequeños … voy a añadirlos a la ensalada. Para acabar, la menta. Tengo unas doce hojas, y las voy a cortar. Lo mejor es hacerlo en el último momento, para mantenerlas frescas. Y aquí tenemos una ensalada riquísima de frutas – ¡aun más rica cuando la coman con crema batida!

23

E Translate the following sentences into Spanish, taking care with the position of the direct object pronoun.

1 I don't like cheese very much so I don't eat it.

_____

2 Can you explain these instructions? I can't understand them!

_____

3 Daniel's lost his glasses again – have you seen them?

_____

4 I'm looking for Felicia and Xavier. Have you seen them?

_____

5 Where's that vase – has she broken it?

_____

6 I bought some cakes – are we going to eat them?

_____

7 I like French and I'm going to study it at university.

_____

8 I couldn't resist those boots – I had to buy them!

_____

Indirect object pronouns

Reminder

◆ An indirect object pronoun replaces a noun (usually a person) that is linked to the verb by a preposition, usually *a* (to), e.g.
Les mando un regalo. I'm sending them a present.
The Spanish indirect object pronouns are *me* 'to me', *te* 'to you', *le* 'to him', 'to her', 'to you (Vd.)', *nos* 'to us', *os* 'to you', *les* 'to them', 'to you (Vds.)'.

A Underline the indirect object pronouns in the following sentences. Translate the phrases in bold into English on a separate piece of paper.

En Navidad siempre hay regalos. Este año, **mis padres me regalaron un teléfono móvil** y **yo les di unos libros buenos**. Mi hermano es muy deportista, así que **mi padre le regaló una raqueta de tenis. Mi abuela nos envió dinero; la llamé por teléfono y me habló** durante media hora. **Me dijo que va a visitarnos para Pascua.** Mi hermana estaba de mal humor en Navidad. **Me ha pedido que le preste mi móvil** pero **le he contestado que no.**

B Using the sentences in exercise A, complete the list of common verbs followed by an indirect object in Spanish.

1	to give (as a present)	regalar
2	to give	
3	to send	
4	to telephone	
5	to speak to	
6	to tell	
7	to visit (a person)	
8	to ask (for something)	
9	to lend	
10	to answer, reply	

C Translate these sentences into Spanish.

1 I talked to them yesterday.

_____

2 We asked him why he had left.

_____

3 My friend lent me some money.

_____

4 They phoned us last week.

_____

5 You've given her a present.

_____

6 I've told you the truth.

_____

7 She's going to write to them on Monday.

_____

8 I'm going to give her the cheque tomorrow.

_____

Reminder

◆ Indirect object pronouns are needed to refer to parts of the body.

D Translate the following into English.

1 Me duelen los oídos.

_____

2 Se ha roto la pierna.

_____

3 Le duelen los ojos.

_____

4 Ven aquí, Manuelito – voy a lavarte las manos.

_____

5 ¿Por qué tomas esa aspirina? ¿Te duele la cabeza?

_____

Reminder

◆ Some verbs conveying a wish, request or instruction are followed by an indirect object and *que* + subjunctive.

E Rewrite the following sentences, replacing the noun in bold with an indirect object pronoun.

1 La profesora pidió **a Felipe** que tradujera las frases.

_____

2 El médico aconsejó **a mi madre** que tomara este medicamento.

_____

3 Queremos que visites **a tus abuelos**.

_____

4 Dije **al camarero** que no me gustó el vino.

_____

5 Mi padre ha prohibido **a mi hermano** que fume.

_____

6 La profesora ha permitido **a nosotros** que estudiemos en la biblioteca.

_____

Reminder

◆ As you saw in exercise E, the personal *a* is needed with a noun representing a person or animal when the noun is the indirect object.

F Translate the following sentences into Spanish.

1 I asked Enrique to lend me his car, but he told me it wasn't possible.

_____

2 She advised my friend to stop drinking, but he told her to leave him in peace.

_____

3 He's always talking to his dog, but the dog never listens to him.

_____

Order of pronouns

Reminder

◆ When there are several pronouns in the same sentence, they go in the following order:

reflexive	indirect object	direct object	
me	me	me	[verb]
te	te	te	[verb]
se	le	lo/le/la	[verb]
nos	nos	nos	[verb]
os	os	os	[verb]
se	les	los/les/las	[verb]

The same order applies when the pronouns are joined to the end of an infinitive, imperative or present participle.

A In the following sentences, underline the **indirect object pronouns**. Then translate the sentences into English.

1 ¿Estas flores? Me las dio ayer.

_____

2 ¿El dinero? Ya te lo hemos enviado.

_____

3 Te lo han dicho pero no me lo han dicho a mí.

_____

4 Me lo has dicho mil veces – ¡no me lo digas otra vez!

_____

5 Conchita, ¿qué haces con esos cigarrillos? ¡Dámelos, por favor!

_____

6 Esos libros deben llegar mañana. Mándemelos hoy por la tarde, por favor.

_____

Reminder

◆ When two third person object pronouns are used together, the first one always changes to *se* to make the phrase easier to pronounce.

B Translate the bold phrases into English.

1 Cuando recibo cosas que no me gustan, **siempre se las doy**. _____

2 Ella le da el dinero, y **él se lo da a ellos**.

_____

3 **Se lo he dicho** pero siempre se olvida.

_____

4   Siempre lleva ese anillo. **María se lo dio** hace muchos años. _____

5   He comprado unos guantes para Nina y **voy a regalárselos** para su cumpleaños. _____

6   He averiguado los precios y **voy a decírselos** cuando lo vea. _____

Pronouns after prepositions

Reminder

◆ As in question 2 of exercise B above, sometimes *a él, a ella, a ellos, a Vd.* etc. need to be added (usually after the verb) for clarity or emphasis.

A Choose the correct pronoun from the box to complete the translations below.

1   I sent it to her but she gave it to him.
Yo se lo mandé _____, pero ella se lo dio _____.

2   My new painting? Well, I wanted to show it to you first, but those girls wanted to see it so I showed it to them.
¿Mi nuevo cuadro? Bueno, quería mostrárselo _____ primero, pero esas chicas querían verlo así que se lo mostré _____.

> a él   a ella   a ellos   a ellas   a Vd.

Reminder

◆ The sentences in exercise A are examples of the use of pronouns after prepositions in Spanish. Pronouns used in this way are the same as the subject pronouns, except for *mí* and *ti*. (The accent on *mí* distinguishes it from the possessive pronoun *mi*.) With *con*, there is a special form for the first, second and third persons: *conmigo, contigo, consigo*.

B Translate the following into Spanish.

1   Pablo, do you want to go on holiday with us?

_____

2   This letter is for you, madam.

_____

3   He sent the message via her.

_____

4   I can't go without you. Come with me!

_____

5   I can't see because he's in front of me.

_____

Relative pronouns

Reminder

◆ The relative pronoun ('who', 'which', 'that', 'whom') that you will need most often is *que*. Remember that the relative pronoun cannot be left out in Spanish as it can in English.

A Underline the relative pronoun, and the noun and the verb it relates to, in the following sentences. Then translate the underlined phrases into English.

1   La chica que llamó dejó un mensaje.

_____

2   ¡El equipo que ha ganado es el equipo mío!

_____

3   ¿Has encontrado el CD que buscabas?

_____

4   La explicación que me dieron no me satisfació.

_____

5   El hombre que está cantando es español; la mujer que está tocando el piano es francesa.

_____
_____

B Translate the following sentences into Spanish, being careful to include a relative pronoun where it is needed, even if there is none in the English.

1   The man who has just arrived is my brother.

_____

3   The people who say that don't understand the situation.

_____

3   The boy I met in Málaga has sent me an e-mail.

_____

4   The subject I prefer is geography.

_____

5   The phone I bought yesterday isn't working!

_____

- Sometimes the relative pronoun is preceded by a preposition, most often *a*, *de*, *con* or *en*. In such cases you need to use *a que/de que* for things, and *a quien(es)/de quien(es)* for people.

C Choose a suitable relative pronoun and a suitable preposition from the box to fill the gaps in these sentences.

1 Esos son los amigos _____ estudiaba en Salamanca.
2 He olvidado el nombre de la mujer _____ hablábamos.
3 ¿Tienes una amiga _____ te gustaría venir a la fiesta?
4 El problema _____ se refiere es muy grave.
5 La religión _____ crees tú, me parece muy interesante.
6 La agencia _____ mandé mi solucitud no ha respondido.

```
a   de   con   en
que   quien   quienes
```

Reminder

- After other prepositions, *el cual*, *la cual*, *los cuales*, *las cuales* are used (note that although *cual* alters for the plural, it does not alter for the feminine).

D Translate the following sentences into English.
1 Esas pequeñas calles por las cuales andábamos no existen hoy en día.

2 La casa para la cual estábamos ahorrando se ha vendido.

3 ¡La estantería sobre la cual he puesto mis libros se ha caído!

4 Al lado de la puerta hay una maceta, dentro de la cual encontrarán las llaves.

5 La ruta por la cual viajasteis es muy bonita.

Reminder

- When a relative pronoun is separated from the word to which it refers, it is replaced by *el cual* or *el que*.
*El papagayo de mi tío, **el que** es verde, no habla nunca.*
If *que* were used here, the uncle rather than the parrot would be green. The definite article must agree with the word referred to.

E Read these sentences and answer the question following each one.
1 La casa de mi amigo, la cual está en Madrid, es bastante pequeña.
Who/what is quite small – the house or the friend? _____
2 El gato de Enrique, el cual tiene catorce años, está enfermo.
Who is ill – Enrique or the cat? _____
3 Los amigos españoles de mis padres, los que han telefoneado, van a visitarnos.
Who is going to visit – the friends or the parents? _____

Reminder

- *Donde* also functions as a relative pronoun.

F Translate the following into Spanish.
1 This is the place where we have to turn left.

2 I'm visiting friends in the town where I was born.

3 This is the square where we used to have a beer.

Reminder

- To say 'whose' you use *cuyo* (whether for people or things); *cuyo* must agree with the **noun** it refers to, not with the owner. It may help to think of it as an adjective rather than a pronoun.

G Complete the sentences with *cuyo*, *cuya*, *cuyos* or *cuyas*.
1 La amiga _____ coche me he pedido prestado, vive en Navarra.
2 Tengo que hablar con ese hombre _____ perros están siempre corriendo en mi jardín.
3 El pobre hombre _____ hijas están enfermas ya ha perdido su empleo.

Possessive and demonstrative pronouns

Reminder

◆ Possessive pronouns in English are 'mine', 'yours', 'ours' 'theirs'. In Spanish, possessive pronouns take the same form as the strong possessive adjectives (see page 8). Remember that which one you use depends on who owns the object, but that their agreement must match the noun they describe.

	singular		plural	
	masculine	feminine	masculine	feminine
mine	el mío	la mía	los míos	las mías
yours	el tuyo	la tuya	los tuyos	las tuyas
his/hers/ yours (Vd.)	el suyo	la suya	los suyos	las suyas
ours	el nuestro	la nuestra	los nuestros	las nuestras
yours	el vuestro	la vuestra	los vuestros	las vuestras
theirs/ yours (Vds.)	el suyo	la suya	los suyos	las suyas

A Choose the correct possessive pronoun in each sentence and underline it.

1 He pagado mi café pero no pago el tuyo/la tuya.
2 No me gusta su casa pero me gusta mucho la vuestra/las vuestras.
3 Le presté mi móvil porque había olvidado la suya/el suyo.
4 Su solución a este problema no va a resultar – la nuestra/el nuestro sería mejor.
5 ¿Mis padres? Están muy bien, gracias – ¿y los tuyos/las tuyas? Están más viejos que el mío/los míos, ¿verdad?
6 Vamos en tu coche; es mucho más cómodo que el nuestro/los nuestros.
7 Dices que nuestro piso es pequeño, pero ¿has visto la suya/el suyo?

B Complete the answers to the questions with a possessive pronoun.

1 ¿Esta es tu bebida? Sí, es _____ .
2 Me ayuda a escribir mi carta, pero no ha escrito _____ .
3 Mamá, ¿por qué la casa de Pepe es más grande que _____? ¡Yo quiero una casa como _____!
4 Sabes, Lisa, tu marido es muy simpático – ¡no es como _____!
5 Cuando compres tus bocadillos, ¿podrías comprar _____ al mismo tiempo?

Reminder

◆ Demonstrative pronouns in English are used to say 'those who', 'the one(s) which' or 'this one/that one'. The demonstrative pronouns in Spanish are as follows. Note that the neuter forms don't take an accent.

	masc. sing.	fem. sing.	neuter sing.		masc. plural	fem. plural
this	éste	ésta	esto	these	éstos	éstas
that	ése	ésa	eso	those	ésos	ésas
that	aquél	aquélla	aquello	those	aquéllos	aquéllas

◆ Remember that they are used only when there is no noun in place, and that they must agree with the noun that they replace.

C Complete the sentences by writing in a phrase from the box.

1 Prefiero este coche pero es más caro _____ .
2 No tenemos que comprar bocadillos, podemos _____ .
3 Las mejores frutas _____ .
4 No hay mucha diferencia entre este supermercado _____ .
5 ¡Rosa! ¿Has visto _____?
6 _____ mi amiga.

> es aquella   aquello   son aquellas   que ese
> esto   y aquél   comer éstos   ésa es

Indefinite pronouns and adjectives

Reminder

◆ The most common indefinite pronouns in Spanish (they also serve as indefinite adjectives) are *algo* (something), *alguien* (someone) and *alguno* (some, a few). *Algo* and *alguien* do not change their form, but the indefinite adjective *alguno* must agree with the noun it describes. Like *ninguno* it shortens, becoming *algún* before a masculine singular noun.

A *Algo* or *alguien*? Fill in the gaps with the appropriate indefinite pronoun.

1 Tengo _____ que decirte.
2 _____ llamó pero no sé quién era.
3 _____ le ha pasado a Felipe. Anda muy deprimido – debería hablar con _____ .
4 ¿Tiene _____ que declarar, señor?
5 ¿Tienes ganas de beber _____ ?
6 _____ te ha mandado un texto.
7 Hay mucha gente en la plaza – _____ ha ocurrido.

B Choose a word from the box to fill each gap.

1 _____ cosas me preocupan – por ejemplo mi examen de inglés.
2 ¿Tienes _____ noticia para mí?
3 Me llamarán _____ día.
4 Ha comprado _____ cosas para ti.
5 No sé qué libros voy a llevar, pero llevaré _____ .

> algún   alguno   alguna   algunos   algunas

Reminder

◆ *Algo* can be used with an adjective, for example *algo interesante*. It can also be used with *de* + infinitive, for example *algo de comer*.

C On a separate sheet, translate the following conversation into English.

¿Quieres algo de comer?
Bueno, no sé … no tengo mucha hambre …
¿tomamos algo ligero?
Sí, sin duda hay algo apetitoso en el frigorífico …
¿prefieres algo de dulce?
No, gracias, preferiría algo salado. ¿Tenemos algunos espaguetis, por ejemplo?
¿Espaguetis? Pero ¡has dicho que querías algo ligero!

Reminder

◆ *Mucho, poco, tanto* and *todo* are also used as indefinite pronouns and adjectives. They must agree with the noun they represent or describe.

D Choose *mucho, poco, tanto* or *todo* (you must use each of them at least once) to fill the gaps in these sentences, remembering to make them agree as necessary.

1 ¿Hay fuentes en los jardines de la Alhambra?
Sí, hay _____ .
2 Ha escrito _____ artículos, pero nunca ha escrito una novela.
3 Mi vecino canta _____ el día – ¡me vuelve loca!
4 ¿Has comido algo?
Muy _____ porque no me siento bien.
5 Me gusta la vida sencilla – no necesito _____ .
6 Tengo _____ problemas, no sé qué voy a hacer.

Reminder

◆ *Varios, cualquier(a), otro,* and *cada (uno)* are also used as indefinite pronouns and adjectives.

E Translate the following sentences into English.

1 Necesitamos identificar otra solución.

2 Tengo que elegir – ¿esta camisa o la otra?

3 Podéis tomar cualquiera de los libros.

4 Les dio un regalo a cada uno.

5 Cada estudiante tiene varios libros que leer.

Reminder

◆ Interrogative pronouns *qué* and *cuál/cuáles* have an accent like all interrogatives. *Qué* does not change its form. *Cuál* does not alter in the feminine, but adds *-es* in the plural.

F Choose *qué, cuál* or *cuáles* to fill the gaps in the following sentences.

1 ¿_____ vaqueros prefieres?
2 ¿_____ haces? Nada.
3 ¿_____ de estas rutas es la mejor?
4 ¿_____ de estos CDs vas a llevar cuando te vayas de vacaciones?
5 ¿_____ te ha afectado a ti?

Revision: prepositions, conjunctions and pronouns

A Translate the prepositions in brackets to complete this passage.

[**1** *To*] _____ encontrar la casa, siga estas instrucciones. Estamos [**2** *near*] _____ Santa Felicia, [**3** *20 km from*] _____ San Miguel. Primero, vaya [**4** *to / as far as*] _____ el centro de San Miguel y siga el camino que le lleva [**5** *towards*] _____ Santa Felicia. Cuando salga de Santa Felicia, [**6** *before*] _____ cruzar el puente, doble [**7** *to*] _____ la izquierda, [**8** *opposite*] _____ el colegio. Hay una carnicería [**9** *on*] _____ la esquina. Continúe [**10** *as far as*] _____ un lago que verá [**11** *on*] _____ la derecha. [**12** *After*] _____ el lago, busque un pequeño camino [**13** *next to*] _____ una cruz. Tómelo, y continúe [**14** *along*] _____ este camino. [**15** *After*] _____ unos dos kilómetros, encontrará nuestra casa [**16** *in front of*] _____ usted. Si sale a las diez, debería llegar [**17** *around*] _____ las diez y media.

B Choose *a* or *de*, *al*, *del* or *en* to fill each gap in the following sentences.
1 Tienen un hijo _____ veintitrés años – va a casarse _____ finales del año.
2 No estoy _____ acuerdo con todas sus opiniones, pero le respeto _____ él.
3 _____ veces está muy cansado, pero _____ los noventa años, eso no es sorprendente.
4 Nunca le ha pegado _____ su mujer, pero siempre está dándole patadas _____ pobre gato.
5 Llenó el bol _____ frutas frescas.
6 ¿Piensas _____ mí _____ vez en cuando?

C Choose a conjunction to complete the following sentences; use any that makes good sense but use each one in the box at least once. Then, on a separate sheet, translate the completed sentences into English.
1 Siempre charla durante una hora _____ la llamo a ella, _____ _____ ella me llama a mí, ¡hablamos durante sólo cinco minutos!
2 Es difícil comprenderlo _____ habla muy rápido _____ ha perdido los dientes.
3 No puedo decidir _____ hablar contigo.

4 El viaje es muy largo _____ hace mucho calor _____ tendré que ducharme _____ llegar.
5 _____ estudies en Madrid, vas a hacer nuevos amigos, _____ ¡no te olvides de nosotros!

| cuando pero porque después de |
| y antes de así que |

D Underline the direct object pronouns and circle the indirect object pronouns in the following sentences. Then translate the sentences into English on a separate sheet of paper.
1 Se lo he explicado dos veces, pero no me escuchan.
2 Corta el limón y añádelo a la sangría. La sangría está lista para tus invitados – sírvesela inmediatamente.
3 Cariño, ¿tienes las llaves del coche? Dáselas a mi madre, por favor, porque le he prometido prestárselo para el fin de semana.
Pero ¿qué me dices? ¡Yo lo necesito para ir al aeropuerto! ¡Me vas a volver loco!

E Translate the following sentences into Spanish.
1 Where are my sunglasses? Nadia, have you borrowed them again? Give them to me, please!
_____
_____
2 Ana wants to speak to you. She's asking for that map. What? She's lost it already? But I gave it to her yesterday!
_____
_____
3 The history teacher's always asking me difficult questions – I don't understand them and I don't like him.
_____
_____
4 Do you remember that CD José mentioned? Well, he's finally bought it and he's listening to it now. Would you like to hear it?
_____
_____
5 I'd love to go out with you, but my boyfriend wouldn't like it. He's very possessive about me. Sorry!
_____
_____

F Fill the gaps in the following sentences with *que*, *quien*, *quienes* or *donde*.

1 El hombre con _____ hablaba vive en la
ciudad _____ nací.

2 La chica _____ te gusta es la misma de
_____ te hablé.

3 La tienda _____ compré estos vaqueros no es
la misma _____ me recomendaste.

4 La empresa a _____ he enviado mi solicitud,
me ha dado una cita para una entrevista. Es la
empresa _____ trabaja ese chico con
_____ salí la semana pasada.

G Translate the following into English.

1 Ese vaso es mío, ¿no?
Sí, es el tuyo y éste es el mío.
_____
_____

2 Su madre es programadora y su hermano es
ingeniero. ¡Y su prima trabaja para mi padre!
_____
_____

3 Una amiga mía quiere salir con aquel hombre.
¿Aquél, el gordito vestido de negro?
No, no, ése, el alto que lleva vaqueros.
Ah, aquél.
_____
_____
_____

4 ¿Dónde está el libro que estaba leyendo?
Está allí, debajo del mío. Pero ese libro no es muy
bueno – deberías leer este otro, es mucho mejor.
_____
_____
_____

5 ¿Vuestro padre vive todavía en esa misma casa?
No, esa casa era demasiado grande para él y ahora
vive en la ciudad, muy cerca de una hermana mía.
Esperaba vivir en su piso con ella, pero su marido
ha dicho que no ¡porque su madre de él ya vive allí!
_____
_____
_____
_____

6 Estamos invitando a todos nuestros amigos a una
fiesta. ¿Quieres venir con tu novio?
Mi novio me ha dejado por una amiga mía. Pero
podría pedirle a una amiga que venga conmigo …
_____
_____
_____
_____

H Fill each gap with one of the indefinite pronouns or
adjectives from the box.

1 Hay _____ turistas en la playa.

2 Hay _____ que hacer cuando lleuve.
¿Ponen _____ interesante en la
televisión esta tarde?

3 _____ de ellos son bastante
inteligentes, pero no _____. La
inteligencia es _____ raro en los
hámsters.

4 ¡_____ día encontraré a
_____ interesante que no esté casado!

5 Hay _____ en el teléfono que quiere
hablar contigo.
¿Quién es?
No sé. _____ inglés. Tú y tus novios, yo
no los conozco a _____ .

6 Puedo prestarte _____ de los
periódicos – los he leído _____ .

| algún   alguno/a/os/as   alguien   algo |
| poco   todo/a/os/as   cualquier/a/as |

The main tenses of verbs

The present tense: regular verbs; the present continuous, the present participle

Regular verbs

> **Reminder**
> ◆ The present tense is used to describe what is happening now or what usually happens. It can also refer to what you are about to do in the immediate future, and to make a polite request.

A In the numbered sentences below, either a or b has a verb in the present tense. Find it and underline it.
1 a ¿Vas de compras el sábado?
   b ¿Fuiste de compras el sábado?
2 a Sí, compré ropa y vino.
   b Sí, voy al mercado cada semana.
3 a ¿Vas en bici?
   b Normalmente sí, pero esta semana tomé el autobús.
4 a ¿Y tu hermana te acompañó?
   b No, juega al tenis los sábados.
5 a ¿Gastaste mucho dinero?
   b No, en el mercado todo es bastante barato.
6 a ¿Vas a tomar otro café?
   b No, gracias, me encuentro con mi hermana dentro de diez minutos.
7 a Bueno, ¡salúdale de mi parte!
   b No lo olvidaré. ¿Me das mi chaqueta, por favor?

B Match the six sentences to the reasons for using the present tense.
1 Mando un texto a mi amigo madrileño. ☐
2 Nos enviamos textos una vez a la semana. ☐
3 La visito el domingo. ☐
4 Vive en un piso muy moderno. ☐
5 En Madrid, todo el mundo sale por la tarde para tomar una copa. ☐
6 Nos conocemos desde 1990. ☐
The present tense is being used to describe …
a something that will happen in the near future
b something which happens regularly
c something which began in the past and is continuing
d something that is happening at the moment
e someone's current situation
f something that is a 'universal' or general fact

> **Reminder**
> ◆ The endings for a regular -ar verb in the present tense are: hablo, hablas, habla, hablamos, habláis, hablan.

C Complete the verbs and translate the phrases into English.
1 (Yo) _____ (charlar) _____
2 (Tú) _____ (cantar) _____
3 Pablo _____ (bailar) _____
4 (Vd.) _____ (visitar) _____
5 (Nosotros) _____ (tomar) _____
6 Marisol y yo _____ (viajar) _____
7 (Vosotros) _____ (gastar) _____
8 (Ellos) _____ (pasar) _____

> **Reminder**
> ◆ The endings for a regular -er verb are: como, comes, come, comemos, coméis, comen.

D Choose a verb from the box for each gap, put it into the correct form, and translate the sentences into English.
1 Siempre _____ en un restaurante los viernes.
   _____
2 [Tú] No _____ fumar tanto.
   _____
3 En nuestro mercado se _____ frutas riquísimas.
   _____
4 ¿_____ Vds. cuándo llega el tren de Madrid?
   _____

| vender | deber | saber | comer |

> **Reminder**
> ◆ The endings for a regular -ir verb are: vivo, vives, vive, vivimos, vivís, viven

E Use a suitable verb chosen from the box to translate the sentences into Spanish.
1 The shops open at three.
   _____
2 My boyfriend writes poetry for me.
   _____
3 My father lives 10 km from our house.
   _____
4 In his article he describes the scenery of Navarra.
   _____

| vivir | abrir | describir | escribir |

The present continuous, the present participle

> ### Reminder
>
> ◆ The present continuous (appropriate part of *estar* + present participle) is used (as it is in English) to describe a process that is going on at the present moment.
>
> To form the present participle, replace the infinitive ending as follows: *-ar – ando*; *-er/-ir – iendo*.
>
> Note that some *-ir* verbs change their spelling from *e* to *i* or *o* to *u* in the present participle, e.g. *durmiendo*, *prefiriendo*.

A Underline the part of *estar* and circle the whole present continuous verb in the sentences below. Write the English translation of the circled phrase in the space at the end of each sentence.

1 Están preparando pasteles para la fiesta.

   _____

2 ¡Entrad! Estamos viendo un vídeo.

   _____

3 Cuando la visito, siempre está trabajando.

   _____

4 ¡León! ¡Oye! ¿Estás durmiendo?

   _____

5 He pelado las cebollas, y ahora estoy cortándolas.

   _____

6 ¡Hola, Alejandro! Un momentito … ¡estamos bañando al perro! Ah, lo siento, se está sacudiendo … No, Brutus, ¡basta ya! ¡Estás salpicando a Alejandro!

   _____

   _____

   _____

B Translate the following sentences into Spanish.

1 Please talk more quietly, children – I'm listening to this music!

   _____

   _____

2 Miguel's been in the bath since 8 o'clock. He always says he's reading the paper but in my opinion he's sleeping.

   _____

   _____

3 Where are the boys? They're in the garden – they're playing football with the neighbours.

   _____

   _____

4 Could you call back in half an hour? We're just getting up.

   _____

   _____

> ### Reminder
>
> ◆ The present participle is also used in the following constructions:
>   - after *seguir* it means to continue doing something
>   - after *ir* it also means to keep doing something
>   - after *llevar* it means to spend a certain amount of time doing something

C Choose an appropriate expression from the box to complete the following sentences.

1 Manuela _____ *La Guerra y la Paz*.

2 _____ en la Universidad de Salamanca.

3 Isabel y Enrique _____ al tenis cada tarde.

4 _____ el precio de la gasolina.

5 _____ aquí hasta el mes entrante.

6 ¿Por qué _____ estas flores ridículas?

> seguiré trabajando   va subiendo
> siguen jugando   llevan dos años estudiando
> sigues enviándome   sigue leyendo

> ### Reminder
>
> ◆ There is another form of present participle, used as an adjective. The ending is *-ante* for *-ar* verbs and *-iente* for *-er* and *-ir* verbs. Remember that these present participles must agree, so although they do not change their form for the feminine, they do add an *-s* in the plural.

D Complete the table with the English for the following expressions.

1	el día siguiente	
2	agua corriente	
3	la semana entrante	
4	plantas vivientes	
5	una idea sorprendente	

The present tense: reflexive verbs; spelling change verbs; common irregular verbs

Reflexive verbs

Reminder

◆ Reflexive verbs work in the same way as non-reflexives but with the addition of the reflexive pronoun (see page 22 for the pronouns).

A Translate the following sentences into English.

1 Nico, ¿estás levantándote? ¡Son las once!

2 Mi hermano lleva un año construyéndose una casa.

3 Se llama Xavier, como su padre y su abuelo, pero sus hijos se llaman Antonio y Ramón.

4 Vamos, niños, hay que darse prisa para llegar a tiempo.

5 ¿Os divertís en Madrid?
Sí, mucho. Nos estamos dándonos el gusto y nos alojamos en un buen hotel. Salimos todas las noches ¡y nos acostamos hacia las dos de la madrugada!

B Translate the verbs in brackets to complete the text.

Durante las vacaciones, [*we get up*] _____ hacia las diez; generalmente [*I have a bath*] _____ y Maribel [*has a shower*] _____ . [*We get dressed*] _____ antes de las once, porque a las once y media nuestros amigos a menudo nos visitan para tomar café. Siempre [*we enjoy ourselves*] _____ con ellos, contando historias y charlando sobre cualquier tema. Por la tarde, [*we go off to*] _____ todos a nuestro bar preferido. Es muy popular y [*it fills up*] _____ hacia las nueve. [*We never take*] _____ el coche, porque normalmente [*we treat ourselves*] _____ de bebernos una botella de Rioja. ¡Por supuesto, [*we go to bed*] _____ bastante tarde! Sí, durante las vacaciones [*we don't rush*] _____ y [*we feel*] _____ más relajados.

Reminder

◆ See page 63 on using reflexive forms to avoid the passive.

Spelling change verbs and common irregular verbs

Reminder

◆ Many verbs in Spanish have a spelling change in several of their present tense forms. The most common changes are as follows (remember that the *nosotros* and *vosotros* forms are not affected):

e > ie	o > ue	e > i	u > ue
querer	poder	pedir	jugar
entender	encontrar	corregir	costar
pensar	dormir	seguir	contar
cerrar	volver	elegir	encontrar
preferir	llover		
sentir	mostrar		
quiero	puedo	pido	juego
quieres	puedes	pides	juegas
quiere	puede	pide	juega
queremos	podemos	pedimos	jugamos
queréis	podéis	pedís	jugáis
quieren	pueden	piden	juegan

A On a separate sheet, translate the first paragraph into Spanish and the second into English. In the second one, the present tense is used for dramatic effect and you could do the same in English.

1 My team is playing very badly. We're all playing very badly – don't we want to win? Except for Diego, of course. Hey, Diego, you're playing really well!

2 ¡Qué día! Voy de compras a las doce menos cuarto y no encuentro a nadie. La tienda cierra a las once y media hoy porque el comerciante juega en un equipo de fútbol. Vuelvo a casa, pero no puedo entrar porque mis llaves están en la cocina. Llueve mucho, y pienso que voy a acabar empapado. Finalmente, le pido al vecino que me permita entrar por su balcón. Te lo digo, me siento muy cansado.

Reminder

◆ Here are some additional spelling changes that affect the first person only in some common irregular verbs.

conocer/conozco	hacer/hago	salir/salgo
dar/doy	poner/pongo	tener/tengo
estar/estoy	saber/sé	ver/veo

B Choose an appropriate verb from the box above to complete each sentence.

1   No _____ nunca los domingos. _____ las tareas domésticas y _____ la televisión.

2   Siempre le _____ un regalo para su cumpleaños, pero este año no _____ qué comprar.

3   Mi jefe me ha invitado a cenar con su familia. No los _____ muy bien, así que me _____ algo bastante elegante.

4   _____ muy cansada, pero _____ que terminar este trabajo.

C Translate the following into Spanish.

I never do my homework because I go out every night. I know that – I know you pretty well! Alright, I'll give you my notes, but this is the last time!

_____

_____

_____

Reminder

◆ Watch out also for the spellings of the following irregular verbs:

decir: digo, dices, dice, decimos, decís, dicen

ir: voy, vas, va, vamos, vais, van

oír: oigo, oyes, oye, oímos, oís, oyen

tener: tengo, tienes, tiene, tenemos, tenéis, tienen

venir: vengo, vienes, viene, venimos, venís, vienen

D Identify the most appropriate verb from the box above, and select the correct form to fill each gap in the following passage.

Los políticos siempre nos (**1**) _____ que (**2**) _____ a cambiar todo. (**3**) _____ las oraciones cada año y no (**4**) _____ mucha confianza en ellos. Señoras, señores, Vds. (**5**) _____ que comprender que mis amigos y yo (**6**) _____ de un país donde los políticos son poco fiables. Les (**7**) _____ que, si queremos cambiar el mundo, (**8**) _____ que hacerlo nosotros mismos.

Ser and estar

Reminder

◆ In Spanish there are two verbs meaning 'to be': *ser* and *estar*.

Ser is used before nouns, pronouns and adjectives when something is being defined or a long-term or intrinsic characteristic is being described. It is also used in expressions of time and in stating amounts or measurements, for example *son las dos*.

Estar is used before adjectives when a temporary state or condition is being described, and often with prepositions to state location.

Both verbs are irregular, but *ser* is more so. Here is the present tense of each:

Soy, eres, es, somos, sois, son

Estoy, estás, está, estamos, estáis, están

A Underline the examples of *ser* and circle the examples of *estar* in this paragraph. On a separate sheet of paper, make a list of the phrases containing the verbs you have identified and next to each one, explain why each verb is used in each case. (For example: *Su casa es grande – ser* because it's a permanent characteristic.)

Su casa es grande, su mujer es una modelo guapa, y sus dos hijos son inteligentes. Pero su mujer está en Brasil con otro hombre, su madre está enferma, su padre está un poco deprimido, su hermano está en la cárcel, y su hija es heroinómana. ¡Qué vida!

B Underline the correct verb form from among the options given to complete these sentences.

1   Los viernes por la tarde Antonio y Marco no son/está/están/es nunca en casa.

2   Yo estoy/soy/son/está muy enfadada con mi marido porque están/es/eres/está una persona muy difícil.

3   Estas ideas estoy/es/son/están nuevas.

4   Mi novio eres/está/son/es fontanero, así que están/estamos/somos/eres bastante ricos.

5   El presidente soy/están/son/está de vacaciones y la economía estoy/está/somos/están en crisis.

6   ¿De dónde son/está/es/están Vds.? Y ¿dónde está/eres/están/son los otros miembros de su familia?

7   Andrés es/eres/está/estamos muy nervioso antes de su examen, pero no soy/es/son/está necesario porque están/es/esto/está muy inteligente.

Modes of address; *gustar*

◆ There are two levels of formality for saying 'you' in Spanish. Which you use depends on how well you know the person and their age or position in relation to you. Each has both singular and plural forms.

	Singular	Plural
Less formal	*tú*	*vosotros, vosotras*
More formal	*Vd.* (*usted*)	*Vds.* (*ustedes*)

The choice governs not only the pronoun (when needed) but of course the verb form. For example:

	Singular	Plural
Less formal	*hablas*	*habláis*
More formal	*habla*	*hablan*

A Write down which form you would use in each of the following contexts: *tú*, *vosotros*, *vosotras*, *Vd.* or *Vds.*
Para hablar con …

1 otra estudiante en la clase _____
2 un cliente en el bar donde trabajas _____
3 dos de tus amigas _____
4 tres turistas que preguntan el camino _____
5 algunos niños que juegan en la calle _____
6 un perro que ha entrado en tu jardín _____
7 la hija de tu hermana _____
8 la directora de tu instituto _____
9 los miembros de tu equipo de vóleibol _____
10 un hombre que ha venido a la casa para reparar la televisión _____

Reminder

◆ The verb *gustar* must agree with its subject, not with the person who 'likes' or 'dislikes'.

B Fill the gaps with the correct form of *gustar*, and then translate the sentences into English on a separate sheet.

1 Me _____ Jorge, pero no me _____ sus ideas sobre política.
2 ¿Te _____ los melocotones?
   Sí, me _____ todas las frutas, pero las prefiero sin crema – no me _____ la crema.
3 Me _____ mis vecinos, ¡pero no me _____ su perro porque es muy sucio!
4 Les _____ pasar sus vacaciones en Francia, porque les _____ el paisaje francés y el vino francés.

Negatives

Reminder

◆ To make a statement negative, place *no* between the subject and the verb.
If there are object pronouns in front of the verb, *no* is placed in front of them instead of next to the verb.

A Make the following sentences negative.

1 Según mi opinión hacemos suficiente para proteger el medio ambiente.
   _____
2 Debemos vivir sin preocuparnos del futuro.
   _____
3 Mi coche, por ejemplo, consume mucha gasolina.
   _____
4 En mi familia nos gusta comprar productos con mucho envoltorio de plástico.
   _____
5 A los niños les interesa este problema.
   _____
6 Tiran basura por la calle y olvidan la importancia del reciclaje.
   _____

Reminder

◆ To add a negative 'checker' to a statement or question (as in English 'don't I?', 'isn't it?'), simply add *¿no?* in Spanish.
To translate simple negative constructions about hoping, thinking etc., such as 'I hope not' and 'I don't believe so', you need to use *que no* after the verb in Spanish. *Que sí* is used similarly for positive reactions.

B Translate the following exchanges into English.

1 Alfonso viene a la fiesta, ¿no? Espero que no. No quiero verlo.
   _____
2 ¿Y Ramón? Claro que no – tiene demasiado trabajo.
   _____
3 Pero Lisa y Tomás vendrán, ¿no? Creo que no, porque la madre de Lisa está enferma.
   _____
4 Pero vosotros vais a venir, ¿no? Supongo que sí.

Reminder

◆ Spanish uses double negatives, that is, *no* plus a second negative word such as *nada, nadie, nunca, jamás, ninguno, tampoco, ni … ni, ni siquiera, más, más que*. Among these words only *ninguno* agrees with the noun; it shortens to *ningún* in front of a masculine singular noun.

When double negative words are used with *no*, *no* must go before the verb (and any object pronouns). The second negative word comes after the verb. You can use two or more negative words in the same sentence.

C Choose an appropriate negative word or expression to fill each gap.
1 Caminamos 20 kilómetros a pie y no vimos a _____ .
2 No quiero salir _____ con Felipe _____ con Sebastián.
3 No me gusta _____ de estos platos.
4 Fuimos de compras pero no compramos _____ .
5 Aquí estamos lejos del camino, y no encontramos _____ coche.
6 _____ había _____ que seis personas en la plaza.
7 Yo no los he visto, y él no nos ha visto _____ .
8 Su hijo no los visita _____ .
9 ¡No han pagado _____ sus propias bebidas!
10 Desde que se murió su hámster, no le ha interesado más ni nada ni _____ .

Reminder

◆ *Nadie, nada* and *ninguno* can be used with *que* and an infinitive.

D Use *nadie que, nada que* or *ninguno que* to complete the sentences.
1 En el aeropuerto, los turistas no tenían _____ _____ declarar.
2 Una mañana libre – no tengo _____ _____ hacer; ¡no lo creo! No tengo _____ trabajo _____ hacer, y no tengo _____ clientes _____ llamar.

Reminder

◆ Except for *más* and *más que*, the negative words listed above may be used without *no* and placed before the verb.
They may also be used on their own as a short negative response.

E Translate sentences 1–4 into English, and sentences 5–8 into Spanish.
1 Ni siquiera nos saludaron.
_____
2 ¿Nadie me ha dejado un mensaje? Nadie.
_____
3 Nunca encontrarán la solución a este problema.
_____
4 Ni mi padre ni mi madre está contento. Yo tampoco.
_____
5 Nothing has changed.
_____
6 He didn't even open his e-mails.
_____
7 I know you will forget me. No, never.
_____
8 Neither the teacher nor your friends understand you. Neither can I.
_____

Reminder

◆ Other useful negative expressions are *aún … no* (still … not), *todavía … no* (not yet) and *sin* (without). To translate 'without anything' or 'without anyone', you must use the negative word, not the positive one, in Spanish, e.g. *sin nada, sin nadie*.
Sin can also be used with an infinitive, but see page 57 for a reminder on using *sin que* with a verb in the subjunctive.

F Translate the following sentences into English.
1 Aún no tiene ganas de ir a la universidad.
_____
2 ¿Has hecho tus deberes? No, todavía no.
_____
3 Se marchó sin ella, y sin decirle adiós.
_____
4 Llegaremos antes de las once sin problema.
_____

The perfect tense

A Underline the perfect tense verb in each sentence and translate the sentences into English on a separate sheet.

1 Rosa y Jaime han llegado, pero Carlos ha llamado para decirnos que tiene un problema con su coche – va a llegar a las diez.

2 ¿Han visto este artículo sobre el turismo en Chile?

3 No hemos lavado los platos, pero hemos hecho todas las otras tareas domésticas y vamos a relajarnos en el jardín.

4 ¿Paco ha cenado? Sí, y me parece que se ha tomado unas cuantas copas también …

B Fill each gap with the correct part of *haber*.

1 Todos los estudiantes _____ aprobado sus exámenes.
2 _____ terminado, señores?
3 Oye, Rafael, busco a Diego – ¿lo _____ visto?
4 Niños, ¿os _____ lavado las manos?
5 Mi hermana y yo _____ comprado todo lo que necesitamos para la cena.

C Fill the gaps with the past participle of the appropriate verb from the box.

1 Mis amigos me han _____ a pasar una semana con ellos.
2 Blanca ha _____ un nuevo piso.
3 ¿No has _____? ¡Debes tener hambre!
4 ¿Ese chico francés? Últimamente no he _____ con él.

> hablar   comer   comprar   invitar

D Translate the sentences into Spanish on a separate sheet using the verbs suggested.

1 Have you told Manuel the result of the match? (*decir*)
2 I've lost my bag – have you (*tú*) seen it? (*perder, ver*)
3 I don't know what I've done but they refuse to call me. (*hacer*)
4 We've put the luggage in the car and now we're waiting for our friend. (*poner*)

E Underline the perfect tense verb in each sentence. Then translate the sentences into English.

1 No he entendido nunca la física.

2 Nunca lo ha dicho a nadie, pero no trabaja.

3 ¿Aún no te han mandado ese dinero?

4 No hemos recibido ninguna información sobre ellos.

F Put *acabar de* into the appropriate form in the following sentences. Then translate into English the expression using *acabar de*.

1 Mis amigos *acabar de* _____ salir.

2 Mi madre *acabar de* _____ telefonearme.

3 Veo que [vosotros] *acabar de* _____ cenar.

4 ¡Mi novio y yo *acabar de* _____ decidir casarnos!

The preterite tense

◆ This tense is used to refer to events or actions which took place in the past. They are not usually as recent as events described by the perfect tense, and there is not the same sense of them having just been completed. However, in Latin American Spanish you are more likely to find the preterite used for recent events.

A Decide whether you would use the perfect tense or the preterite tense to translate the verbs in the following sentences into Spanish. Underline those you would translate using the preterite.

1 They wrote to him last week but he still has not received the letter.
2 A serious accident took place on the Bilbao road last night but I haven't heard the details.
3 The president has decided to receive the representatives in Madrid – last year he refused to see them.
4 Yesterday I watched a programme on global warming. Parts of southern European have suffered serious floods recently and the programme explained how this is related to climate change.
5 Julio has been fined for driving over the speed limit. He's so stupid – they fined him twice last year.
6 Esteban and Mercedes went to Santo Domingo last weekend. They visited the castle and went shopping in the market; they liked the castle and they loved the market. They haven't stopped talking about it!
7 Miguel, hi, it's Ana. I'm sorry, I've missed my train. The plane left London two hours late so I arrived in Málaga at 11 o'clock. I've found out that there's another train in an hour so I'll get that. See you soon.
8 Last month Antonio decided to eat more healthily. But look – he's already had two sandwiches and now he's just ordered an ice cream. He lost some weight at the start but now perhaps he's lost his motivation!

◆ The preterite tense is formed as follows:

hablar	comer	vivir
hablé	comí	viví
hablaste	comiste	viviste
habló	comió	vivió
hablamos	comimos	vivimos
hablasteis	comisteis	vivisteis
hablaron	comieron	vivieron

B Using the prompts, write out in full on a separate sheet these passages about what people did at the weekend.

Roberto
1 [hablar] con Isabel por teléfono
2 [invitar] a ir con él a la playa
3 [descubrir] que a Isabel no le gusta el mar
4 [llamar] a Susana
5 [dejar] un mensaje con el padre de Susana
6 no [recibir] ninguna respuesta de Susana
7 [salir] solo y comer muchas patatas fritas

Vosotros
1 [cenar] con la familia
2 [leer] los periódicos
3 [comprar] algunas cosas para la casa
4 [lavar] el coche
5 [escribir] algunos correos electrónicos

Yo … / pero ellos …
1 [perder] mi empleo / [ganar] diez mil euros
2 [tomar] una cerveza / [beber] tres botellas de Rioja
3 [vender] mi bici / [comprar] un coche
4 [comer] en casa / [salir] con sus amigos a un restaurante
5 [decidir] no ir de vacaciones / [reservar] un hotel

C On a separate sheet, translate the following into Spanish, choosing the tenses carefully.

Yesterday Señor Martín arrived at the company at 8 a.m. He went into his office, took off his jacket and sat down. He had a coffee and took out his papers. He worked for two hours, preparing for an important meeting. At 10 o'clock his visitors arrived. He offered them coffee and everybody gathered in the meeting room. They spent three hours discussing sales and marketing. Finally they all signed a contract. Afterwards they all went out and had a good lunch. Señor Martín did not return to the office yesterday afternoon.

Reminder

◆ Some of the most common verbs – *dar, decir, estar, haber, hacer, ir, poder, poner, querer, saber, ser, tener, traer, venir* – are irregular in the preterite. Check their forms in the table on pages 86–91. Note that the verb *saber* in the preterite means 'to find out' rather than 'to know'.

D Choose the appropriate verb from those listed above, and use it in its correct form to complete the following sentences. Use a different verb in each sentence.

1 ¿Qué _____ Vds. el fin de semana pasado? _____ a Barcelona y ¡lo pasamos bomba!

2 Enrique _____ un regalo a sus hijos – ¡dos gorras rojas! Se las _____ inmediatamente.

3 Anoche llamé a José. Cuando _____ que estaba enfermo, le _____ que debería ir al médico.

4 Nuestros amigos _____ a cenar a las nueve; _____ flores para Maribel.

Reminder

◆ Certain groups of verbs have spelling changes in the preterite.
The following *-ir* verbs change the middle *e* to *i* in the third person singular and plural, e.g. *advirtió, advirtieron, prefirió, prefirieron.*
advertir, conseguir, corregir, divertir(se), elegir, mentir, preferir, referir, reírse, repetir, seguir, sentir(se), vestir(se)
Verbs ending in *-car* change their *c* to *qu* in the first person singular, e.g. *busqué.*
Verbs ending in *-gar* change their *g* to *gu* in the first person singular, e.g. *pagué.*
Verbs ending in *-zar* change their *z* to *c* in the first person singular, e.g. *crucé.*
Verbs ending in *-ducir* change their *c* to *j* in the preterite, e.g. *condujé, condujiste*, etc.
Verbs ending in *-eer* need an accent on the stressed *i*; unstressed *i* changes to *y*, e.g. *leí, leíste, leyó, leímos, leísteis, leyeron.*
In verbs ending in *-ñer* or *-ñir*, the unstressed *i* is dropped after *ñ* in the third person singular and plural, e.g. *gruñó, gruñeron.*

E Translate the following sentences into Spanish.

1 I looked for that map but didn't find it.

_____

2 They preferred the more expensive bikes but they chose the cheaper ones.

_____

_____

3 Yesterday Margarita enjoyed herself – she drove to the beach, and read a whole novel.

_____

_____

4 I paid for our dinner because Esteban's credit card didn't work; he felt very uncomfortable because the waiter laughed.

_____

_____

_____

F Read this account of an exchange visit and fill the gaps with the prompted verbs in the preterite tense (most, though not all, are irregular and/or require a spelling change).

El junio pasado _____ [yo] (**1** *ir*) a España por primera vez. _____ (**2** *Alojarse*) con mi amiga Ángela y su familia. El primer día sus padres _____ (**3** *estar*) muy simpáticos: _____ [yo] (**4** *tener*) muchos errores, pero no _____ [ellos] (**5** *reírse*). Me _____ (**6** *corregir*) con una sonrisa. Un día _____ (**7** *visitar*) a la abuela de Ángela. No la _____ (**8** *entender*), así que _____ (**9** *repetir*) las palabras más lentamente.

Me _____ (**10** *gustar*) mucho mis vacaciones. _____ (**11** *hacer*) muchas cosas interesantes. Por ejemplo, _____ (**12** *ir*) a Salamanca. ¡El hermano de Ángela _____ (**13** *conducir*) muy rápido y me _____ (**14** *dar*) miedo!

En Salamanca _____ (**15** *buscar*) un regalo para la madre de Ángela y _____ (**16** *encontrar*) un florero azul. El último día de mi visita, _____ (**17** *poner*) algunas flores en el florero y se lo _____ (**18** *regalar*) a ella. Me _____ (**19** *decir*) que le gustaba mucho.

The imperfect tense

Reminder

- ◆ The imperfect is a past tense which is used to describe what something was like, what someone was doing, what used to happen or happened on a regular basis. It is also used to refer to events that happened over a period of time.

A Underline the verbs in the imperfect and translate the sentences into English.

Teenagers quiz their grandparents about how things used to be.

1 ¿Dónde vivíais?

_____

2 ¿Cuántos hijos teníais?

_____

3 ¿Trabajabais los dos?

_____

4 ¿Cuánto ganaba un trabajador típico en aquellos tiempos?

_____

5 ¿Adónde ibais de vacaciones?

_____

6 ¿Qué hacíais para relajaros?

_____

7 ¿Comíais las mismas cosas que hoy en día?

_____

8 ¿Estabais contentos?

_____

B Fill in the gaps in the chart and translate the *yo* phrases into English.

	trabajar	trabajábamos	(yo) trabajaba	I worked (was working, used to work)
1	comprar			
2	jugar			
3	lavar			
4	beber			
5	ver			
6	traer			
7	conducir			
8	escribir			
9	salir			

C Match up the sentence halves. Then underline all the verbs in the imperfect tense.

Era un día típico en el hotel. **¿Que hacían los clientes?**

1 La señora González leía ☐
2 Los jóvenes desayunaban ☐
3 El coronel jugaba ☐
4 La señora Martínez y su hermana se daban ☐
5 La familia Romero peleaba ☐
6 El señor Ricardo esperaba ☐
7 La familia Domingo hacía sus maletas ☐
8 Clara hablaba por teléfono ☐
9 La señorita Pascual tomaba ☐
10 Los negociantes tomaban ☐

a entre ellos.
b una copa en el bar.
c un paseo en el jardín.
d una novela romántica.
e con todas sus amigas.
f antes de salir.
g al golf.
h a un amigo en la recepción.
i una ducha.
j en el comedor.

Reminder

- ◆ The imperfect is formed using the stem (infinitive minus -ar, -er or -ir) plus the endings shown in bold below.

-ar	-er	-ir
hablaba	comía	vivía
hablabas	comías	vivías
hablaba	comía	vivía
hablábamos	comíamos	vivíamos
hablabais	comíais	vivíais
hablaban	comían	vivían

D Fill the gaps with the appropriate imperfect form.

1 No _____ su nombre. (*yo/saber*)

2 ¿Qué _____? (*tú/hacer*)

3 Consuelo _____ todos las días. (*venir*)

4 No lo _____. (*nosotros/creer*)

5 ¿Qué tipo de coche _____?
   (*vosotros/tener*)

6 Siempre _____ un café a las nueve.
   (*ellos/tomar*)

Reminder

◆ The only irregular imperfects in Spanish are *ir*
  and *ser*:

ir	ser
iba	era
ibas	eras
iba	era
íbamos	éramos
ibais	erais
iban	eran

E Fill each gap with the correct part of *ir* or *ser*.

1 En aquellos días (*nosotros*) _____ al colegio
   a pie.

2 ¿Qué le pasó a Miguel? _____ deportista,
   pero hoy en día ¡está muy gordo!

3 El señor Alfonso _____ a Madrid en tren
   todos los fines de semana.

4 _____ rico pero he perdido todo.

5 ¿Te acuerdas de Enrique? _____ muy guapo.

6 Cuando (*vosotros*) _____ jóvenes, ¿adónde
   _____ de vacaciones?

F Fill in the gaps to explain what Carolina used to do
when she had a healthy lifestyle.

1 No _____ nunca chocolate.

2 _____ siempre legumbres orgánicas.

3 _____ vitaminas todos los días.

4 No _____ nunca.

5 _____ deporte tres veces por semana.

6 _____ mucha agua mineral cada día.

7 _____ ocho horas por noche.

8 _____ la campeona de natación de su
   colegio.

> dormir fumar elegir comer beber
> tomar ser hacer

G Fill each gap with an appropriate verb in the
imperfect tense, choosing from those in the box
below each text.

Los viejos tiempos

1 La abuela habla

Ah sí, cuando yo era joven la gente _____ en
forma. _____ a todas partes a pie – nadie
_____ coche en aquellos días – y, sabes, todos
_____ duro. Las mujeres _____ toda la
ropa a mano y _____ la casa todas las mañanas.
También _____ tres veces al día.

> lavar trabajar estar limpiar tener cocinar ir

2 Los padres hablan

A los veinte años, _____ deportistas.
_____ al bádminton todos los días,
_____ paseos por la montaña y _____
un jardín grande donde _____ mucho trabajo.
Sí, _____ una copa por la tarde y
_____ de vez en cuando a comer a un
restaurante, pero generalmente _____ sano y
no _____ muchas cosas dulces.

> hacer comer jugar tomar ser
> salir dar tener vivir

3 El joven habla

He dejado mis malas costumbres. Antes, _____
pasteles y patatas fritas todo el tiempo. No
_____ ni comer frutas ni tomar vitaminas.
_____ horas viendo la televisión, _____
muy tarde, _____ cuatro veces por semana a
los bares con mis amigos y _____ mucho.
También _____ diez cigarrillos por día.
_____ demasiado gordo y _____
estresado.

> interesarse sentirse estar pasar
> fumar comer ir acostarse beber

The imperfect continuous

Reminder

◆ The imperfect continuous tense is used to refer to an action that was going on at a precise moment when something else happened. It often implies a contrast between the situation as it was, and the new event.

It is formed by using the imperfect tense of *estar*, with the present participle; in other words, it's the imperfect form of the present continuous (see page 33).

***Estaba leyendo** cuando sonó el teléfono.*

A Use the imperfect continuous form of a verb from the box to fill each gap.

¿Qué estaban haciendo los alumnos cuando el profesor entró?

1 Jorge _____ chocolate.
2 Guillermo _____ la radio.
3 Ana _____ el nombre de su novio en la mesa.
4 Matteo y Diego _____ en Internet.
5 Naomi _____ con Julio.
6 Esteban _____ una cerveza.
7 Catarina y Maribel _____ a las cartas.
8 Maribel _____ por el teléfono móvil.
9 Lisa _____ un cigarrillo.
10 Pero Luis y yo _____ .

> bailar hablar comer jugar fumar escuchar
> estudiar navegar escribir beber

B Complete the following sentences in Spanish using the imperfect continuous of the verbs given.

1 [Yo/leer] _____ cuando llegó.
2 [Nosotros/dormir] _____ cuando el ladrón entró en la casa.
3 [Él/conducir] _____ a Madrid cuando su coche se averió.
4 [Tú/escuchar] _____ música cuando te llamé.
5 Le [ella/hablar] _____ de sus problemas y él se durmió.
6 [Vosotros/ver] _____ la televisión cuando entré.
7 [Ellos/preparar] _____ la cena cuando el teléfono sonó.
8 [Yo/hacer] _____ mis deberes cuando recibí tu correo.

Reminder

◆ With reflexive verbs in compound tenses, the two parts of the verb must stay together and the reflexive pronoun usually goes at the end of the present participle. Note that the verb takes an accent in this case. Occasionally the pronoun is placed before both parts of the verb.

C Translate sentences 1–4 into English and sentences 5–8 into Spanish.

1 Estaba despertándose cuando empezó a llover.
_____

2 Estaba bañándose cuando la tormenta empezó.
_____

3 Estaba afeitándose cuando los rayos empezaron.
_____

4 Una hora más tarde, el viento se estaba quitando cuando salió de la casa.
_____

5 I was getting up when the phone rang.
_____

6 I was having a shower when you arrived.
_____

7 I was getting dressed when the phone rang again.
_____

8 I was getting furious but you answered it.
_____

D Write sentences in the past tense to explain Raimundo's alibis for the times when the various crimes were committed.

Example: el ladrón entra / Raimundo duerme
Cuando el ladrón entró, Raimundo estaba durmiendo.

1 Alguien rompe la ventana / Raimundo juega al vóleibol.
_____

2 Alguien se lleva mi bici / Raimundo pasea al perro en el parque.
_____

3 Un matón atraca a una señora / Raimundo ve la televisión con su novia.
_____

4 Un ladrón entra en la tienda de ordenadores / Raimundo bebe una cerveza en el bar.
_____

5 Alguien se lleva la radio de mi coche / Raimundo hace las compras en el supermercado.
_____

Using contrasting past tenses

Reminder

- You use the **perfect** tense to refer to something that has just recently happened.
- You use the **preterite** tense to refer to actions or events that took place and were completed at a certain point in the past.
- You use the **imperfect** tense to refer to actions, events or states that were taking place for some time, that used to take place, or that took place regularly over a period of time.
- You use the **imperfect continuous** tense to refer to something that was going on when another event occurred.

A Decide whether you would use the imperfect or the preterite to translate the verbs in the following sentences. Write I or P in the boxes.

1　He drove to work every day. ☐
2　She drove to Madrid in four hours. ☐
3　They were very happy together. ☐
4　You used to play squash together. ☐
5　She won the match yesterday. ☐
6　The children played in this park on Saturdays. ☐
7　We played his favourite song for his birthday. ☐

B Underline the correct version of the verb in each sentence.

La juventud de mi abuela

1　Nació/nacía el 18 de marzo de 1944.
2　Su padre se murió/muría dos meses después de su nacimiento.
3　Vivió/vivía con su madre en una pequeña casa.
4　Empezó/Empezaba el colegio a la edad de cinco años.
5　Le gustó/gustaba mucho el colegio.
6　Pero cuando cambió/cambiaba de colegio, encontró/encontraba problemas.
7　Los profesores fueron/eran mucho más estrictos.
8　Ella no estuvo/estaba contenta, y terminó/terminaba el colegio cuando tuvo/tenía catorce años.
9　Dejó/dejaba su pueblo y fue/iba a Bilbao.
10　Empezó/empezaba su primer trabajo en 1958.
11　Trabajó/trabajaba como maquinista en una fábrica.
12　Vivió/Estaba viviendo en Bilbao cuando conoció/conocía a Basilio.

13　Basilio fue/era un joven andaluz que trabajó/trabajaba en Bilbao.
14　Basilio fue/era alto y bastante guapo; a mi abuela le gustó/gustaba inmediatamente.
15　Después de poco, Basilio y mi abuela salieron/salían todos los fines de semana.
16　Fueron/iban a los bares de Bilbao, dieron/daban paseos cerca del mar, bailaron/bailaban y fueron/iban al cine.
17　Se casaron/se casaban en 1961.
18　Durante cinco años vivieron/vivían en Bilbao.
19　En 1966 decidieron/decidían mudarse a Sevilla, porque el padre de Basilio estuvo/estaba muy enfermo.
20　Después de mudarse a Sevilla, tuvieron/tenían dos hijas. Estuvieron/Estaban muy contentos en Sevilla.

C Translate these sentences into Spanish.

1　Have you (*tú*) seen my book? I was reading it when you came in.

　　_____

2　She worked in Madrid but she lived in Salamanca – she was crazy!

　　_____

3　Carmen called again. Have you sent her those papers? No, sorry, I haven't sent them. I was getting them ready when a visitor arrived, and then I forgot.

　　_____
　　_____

4　The dog was crossing the road when the cyclist came out of another street. The bike hit the dog and the cyclist fell off. The poor cyclist has broken his wrist but the dog is fine.

　　_____
　　_____
　　_____

5　While I was driving from Casares to Estepona my car broke down. I called the garage but it was closed. It was very hot, so I went to sleep. When I woke up it was 3 o'clock. I rang the garage again and a lorry arrived after half an hour. The driver gave me a drink because I was very thirsty and didn't have any water.

　　_____
　　_____
　　_____
　　_____

The pluperfect tense

◆ This is the tense you use to refer to what 'had' been done, i.e. one stage further back in the past than events in the perfect tense that 'have' been done. Like the perfect tense, it combines the verb *haber* and the past participle, but you use the imperfect tense of *haber* instead of the present. For example, with *mirar*:

perfect tense	pluperfect tense
he mirado	había mirado
has mirado	habías mirado
ha mirado	había mirado
hemos mirado	habíamos mirado
habéis mirado	habíais mirado
han mirado	habían mirado

A Match up the phrases that go together.
1 Luisa no pasó su examen, porque ☐
2 Escribió una buena redacción, porque ☐
3 Tenía mucho frío, porque ☐
4 Llegó tarde, porque ☐
5 No participó en la clase de educación física, porque ☐
6 La señora Ramón la regañó, porque ☐
7 Se peleó con Carla, porque ☐

a Había olvidado sus zapatillas de deporte.
b Había perdido el bus.
c No había terminado sus deberes.
d Había aprendido mucho vocabulario.
e No se había puesto el abrigo.
f Carla no la había telefoneado como prometió.
g No había repasado.

B Write out what each sentence you created in exercise A means in English. Underline each example of the pluperfect tense.

Reminder
◆ As with the perfect tense, when writing the pluperfect you need to remember that certain common verbs have irregular past participles.

C Translate the following account into Spanish.
Before we left … Michaela had taken the dog to her mother's house; Julia had given the neighbours our mobile phone number; Selina and Michaela had done the packing; I had seen the doctor because I needed some tablets; and Marco had bought some sandwiches for the journey.

D Rewrite each of these pairs of sentences as a single one using *porque* and the pluperfect to explain cause and effect.
Example:
El jefe no durmió bien el domingo por la noche. El lunes, estaba de mal humor.
El lunes, el jefe estaba de mal humor porque no había dormido bien el domingo por la noche.

1 Esta mañana Francisca perdió unos documentos importantes. El jefe le gritó.

2 Los ingenieros no hicieron su trabajo durante el fin de semana. El lunes, los ordenadores estaban estropeados.

3 La semana pasada al jefe de marketing se le olvidó su teléfono móvil en el tren. Durante toda la semana los clientes no podían contactarle.

4 El señor Ramírez se durmió en su oficina. No participó en la reunión.

5 El micrófono se rompió. No podían oír lo que decía el jefe.

Reminder
◆ As with the perfect tense, in the pluperfect the two parts of the verb must never be separated by pronouns or negatives.

E Translate the following sentences into Spanish on a separate sheet.
1 We had never been to Spain.
2 Our friends had not got up when we arrived.
3 No-one had cleaned the house.
4 Neither the husband nor the wife had read my letter.
5 I had sent it the week before.
6 They had forgotten the date of our arrival!

Direct and indirect speech

Reminder

◆ Direct speech is used for quoting word for word what someone else said.
   Dijo: 'No me gustan los churros'.
◆ Indirect speech is used to explain what the person said without quoting them directly.
   Dijo que no le gustaban los churros.

A Here is an account of how a man describes to his friend what he can see from the window as he observes an incident at the building opposite. What were his original words?

Example:
Dice que algo pasa en la calle.
'Algo pasa en la calle.'

1   Dice que la policía ha llegado.

    _____

2   Dice que entran en la casa.

    _____

3   Dice que ahora salen con un hombre.

    _____

4   Dice que hay también una mujer.

    _____

5   Dice que la mujer parece muy nerviosa.

    _____

6   Dice que el hombre parece totalmente loco – grita y gesticula.

    _____

7   Dice que la policía se ha llevado al hombre y a la mujer y que todo el mundo vuelve a su casa.

    _____

Reminder

◆ Changing a passage like this, where all the descriptions relate to a third party, is relatively straightforward. However, when you change between direct and indirect speech, you will almost always need to change not only the verb in every sentence, but also other words that relate to the speakers, especially pronouns. For example:
   *Dice: '**Necesito mis** ocho horas de sueño y no **me levanto** nunca antes de las siete.'*
   *Dice que **necesita sus** ocho horas de sueño y que no **se levanta** nunca antes de las siete.*

B Manuel is relaying a phone message from someone who is coming to visit. Change the visitor's statements to indirect speech, altering the text shown in bold.

Example:
*'**Voy** a traer a **mi** perro con**migo**.'*
***Dice que va** a traer a **su** perro con**sigo**.*

1   '**He** hecho **mis** maletas y **voy** a salir.'

    _____

2   '**Tengo** dos maletas enormes.'

    _____

3   '**Voy** a llamar un taxi para ir a la estación.'

    _____

4   '**Pienso** comprar**me** un bocadillo en el tren …'

    _____

5   '… no es necesario dar**me** nada de comer.'

    _____

6   '**Espero** llegar a las dos.'

    _____

7   '**Tengo mi** móvil con**migo** – **voy** a dar**te** el número …'

    _____

C The visitor asks Manuel some questions. Change them to indirect speech, as Manuel would relay them to the rest of the family. You may need to use *si*, *dónde*, *cuánto* as link words, remembering that they need their accents because they are being used in a question even though it is indirect. Note also that you need *que* after *preguntar*, just as you do after *decir*.

Example:
'¿Puedes ayudarme con mis maletas?'
***Pregunta que si** puedo ayudar**le** con sus maletas.*

1   ¿Dónde está vuestra casa?

    _____

2   ¿Estáis lejos de la estación?

    _____

3   ¿Puedes venir a buscarme a la estación?

    _____

4   ¿Qué tipo de coche tienes?

    _____

5   ¿Puedes llamarme si hay algún problema?

    _____

D A friend is watching a TV programme in the next room while you are cooking, and he/she is telling you what is being said. For each description in indirect speech, write the original direct speech.
Example: *Dice que va a dejar a su mujer.*
        'Voy a dejar a mi mujer.'

1   Dice que no quiere verla más.

_____

2   Dice que nunca va a volver.

_____

3   Dice que su vida comienza de nuevo.

_____

4   Pregunta que si esta noticia le interesa.

_____

5   Su mujer contesta que sale con su amigo Federico desde el año pasado, así que no le importa mucho.

_____

E Two women explain how they chose whether or not to continue working after they had started a family. Turn Alicia's statements into indirect speech, starting each sentence with *Dice que*. Then turn Bárbara's account into direct speech.

Alicia

1   'Decidí dejar mi trabajo.'

_____

2   'Quería pasar más tiempo con mi hijo.'

_____

3   'También prefería tener un programa menos rígido.'

_____

4   'Alejandro y yo estábamos preocupados porque el niño no estaba muy robusto.'

_____

5   'Estoy muy contenta con mi decisión.'

_____

Bárbara

6   Dice que tuvo que volver al trabajo por razones económicas.

_____

7   Dice que encontró a una muy buena niñera.

_____

8   Dice que volvió al trabajo seis meses después del nacimiento de su hijo.

_____

9   Dice que no quería quedarse en casa.

_____

10 Dice que no se arrepiente de haber mantenido su independencia.

_____

Reminder

◆ If you are writing indirect speech using past tenses (perfect or preterite) you will often need to make use of the pluperfect. For example:
Dijo: 'Llegué a las once y salí a las dos.'
Dijo que había llegado a las once y que había salido a las dos.
Dijo: '¡He terminado mis deberes!'
Dijo que había terminado sus deberes.

F Read the account of last year's business trip and rewrite it, changing each verb into the pluperfect and the third person. The rewrite has been started for you.

Llegamos a Gerona el lunes e hicimos algunas visitas. El jefe de la empresa nos invitó a hacer una visita a la fábrica, lo cual hicimos el jueves. Hablamos con algunos empleados. También hemos participado en algunas reuniones y firmamos un contrato. Por la tarde salimos con el jefe y su mujer – fuimos al teatro y después comimos en un restaurante.

Habían llegado a Gerona el lunes y habían hecho algunas visitas …

G When Elena got back from Barcelona last week she was asked how things had gone. Complete the sentences to report what she said. The first one is done for you as an example.

1   Dijo que (she had enjoyed the visit)
    … le había gusto la visita.
2   … nunca … (she had never been to Barcelona)

_____

3   … siempre … (she had always wanted to see the city)

_____

4   … la gente … (the people had been very friendly)

_____

5   … había … (she had visited the Sagrada Familia twice)

_____

6   … siempre … (she had always admired Gaudí's work)

_____

47

The immediate future

Reminder

◆ To talk about the immediate future use *ir a* + an infinitive: *Voy a comprar este libro.*

A Complete the sentences to explain what plans people have for after they leave school. Use the immediate future.

Example: [Nosotros]/continuar los estudios.
    Vamos a continuar los estudios.

*Voy
vas
va
vamos
van
vais*

1 ¡[Yo] / viajar por el mundo!
Voy a viajaré por el mundo ✓

2 Guillermo / aprender a conducir.
Guillermo va af aprender a conducir ✓

3 Lorenzo / ir a la Universidad de Salamanca.
Lorenzo va a ir a la Universidad de Salamanca

4 Luisa / hacerse abogada.
Luisa va a hace hacer abogada

5 ¿[Vosotros] / casarse?
¿Vais a casarse?

6 Consuelo y Mercedes / visitar a sus padres en México.
Consuelo y Mercedes van a visitar a sus padres...

7 ¿[Tú] / buscar un empleo en Madrid?
¿Vas a buscar un empleo en madrid?

8 [Nosotros] / trabajar en un supermercado.
Vamos a trabajar en un supermercado.

B Translate the following sentences into Spanish.

1 Tomás is going to ask Isabel to go out with him.
Tomás va a preguntar Isabel salir con el.

2 She's going to say no, in my opinion.
Va a decir que no, en mi opinion.

3 I don't know – he tells me he's going to send her some flowers …
no sé - que me dice va la enviar le algunas flores

4 A waste of time! She's never going to go out with him!
Una pérdida de tiempo! se va a salir con el nunca

5 I'm going to ask her whether she likes Tomás or not.
Voy a preguntar si esta le gusta Tomás o no.

6 Why are you going to do that?
¿por qué tú vas a hacer eso?

7 Because, if she says no, then I'm going to go out with him.
porque, si ella dice que no, entonces voy a preguntar salir con el!

The future tense

Reminder

◆ The future tense is used to describe a less definite, more remote future.
The future tense of regular verbs is formed by taking the infinitive of the verb and adding the endings shown below. The stress is always on the ending, and the endings are the same for all verbs.
hablaré, hablarás, hablará, hablaremos, hablaréis, hablarán

A In these sentences people are talking about their long-term plans. Complete the sentences using the verbs given.

1 Yo *compraré* un BMW y una casa cerca del mar. (comprar)

2 Ricardo es muy trabajador – *ganará* mucho dinero. (ganar)

3 Teresa *estudiará* francés y negocios y *trabajará* como traductora. (estudiar, trabajar)

4 ¿[Tú] *vivirás* en Madrid? Sí, y *encontraré* empleo en una editorial. (vivir, encontrar)

5 ¿David y Felicia *casarán* algún día? (casarse)

6 ¿[Vosotros] *volveréis* a Argentina o *quedarás* en España? (volver, quedarse)

Reminder

◆ Several common verbs are irregular in the future tense. However, although they have an irregular stem, the endings follow the regular pattern.
dar, daré; decir, diré; haber, habré; hacer, haré; poder, podré; querer, querré; saber, sabré; salir, saldré; tener, tendré; venir, vendré

B Translate the following sentences into Spanish.

1 We will have two children.
Tendremos dos niños ✓

2 He will leave at ten.
Volverá a las diez saldrá sabremos

3 We will find out the results at midnight.
averiguaremos los resultados en la medianoc...

4 You (vosotros) will be able to see the stars.
podreis ver las estrellas ✓

5 They will give me that contract!
¡me pondrán este contrato!
darán

Copyright OUP: photocopying prohibited

6 You (*tú*) will tell me the news.
Me dirás las noticias ✓

7 She will make the same fruit salad as always. *como*
hará _tomará la misma ensalada de fruta que siempre._

8 I will come to Madrid next week.
Vendré a Madrid la semana próxima

9 You (*Vds.*) will be able to visit the cathedral.
podréis visitar la catedral

10 He will have two cars and a bike.
Tendrá dos coches y una bici

C Fill the gaps in the horoscopes, putting all the verbs into the future. The passages address the reader as *Vd*. Then write your own predictions for the two missing signs (*Sagitario* and *Capricornio*)!

Acuario *á* — usted uses the el/ella form
recibiréis (recibir) una sorpresa magnífica.
encontraréis (encontrar) a una vieja amiga que le (*dar*) unas noticias muy interesantes.

Piscis
No _teneréis_ (tener) mucha suerte. _cogeréis_ (Coger) una enfermedad misteriosa y no _podréis_ (poder) salir. _Necesitaréis_ (Necesitar) el apoyo de sus amigos.

Aries
Un nuevo contacto le _traeréis_ (traer) la oportunidad de un nuevo empleo, o su jefe le _ofreceréis_ (ofrecer) un ascenso. _tendréis_ (Tener) que tomar una decisión importante.

Tauro
Un viaje interesante _seréis_ (ser) posible. _veréis_ (Ver) lugares sorprendentes, _encontraréis_ (encontrar) a personas fascinantes, y _gastaréis_ (gastar) mucho dinero.

Géminis
(Deber) prestar atención a su salud. _Se sentiréis_ (Sentirse) cansado y le _faltaréis_ (faltar) energía. _veréis_ (Ver) a un médico que le _diréis_ (decir) que descanse más.

Cáncer
Un amigo le _dejaréis_ (dejar) y _se sentiréis_ (sentirse) triste. _Intentaréis_ (Intentar) algunas veces ponerse en contacto con él, pero no _contestaréis_ (contestar) a sus mensajes.

Leo
Su futuro le _preocupará_ (preocupar) esta semana. Se _haréis_ (hacer) muchas preguntas pero no _sabréis_ (saber) las respuestas. _Pensaréis_ (Pensar) mucho y el fin de semana (*tomar*) una decisión importante.

Virgo
Un niño _será_ (ser) muy importante en su vida. Le _mostrará_ (mostrar) a Vd. lo importante en la vida y _comenzaréis_ (comenzar) a cambiar sus opiniones. ~~Hacere~~ _Haréis_ (Hacer) dos descubrimientos importantes.

Libra
Su vida _estará_ (estar) llena de problemas y dificultades emocionales. Pero su familia le _comprenderán_ (comprender) y le _ayudarán_ (ayudar), y al final _descubriréis_ (descubrir) el valor de su amor.

Escorpio
Problemas económicos le _preocupará_ *an* (preocupar). No _ganaréis_ (ganar) mucho pero _gastaréis_ (gastar) demasiado. _Terminaréis_ (Terminar) la semana con dificultad, y ¡la próxima semana _deberéis_ (deber) ahorrar dinero!

Sagitario *á*
encontraréis amor durante la semana próxima o el romance en su relación crecerá, pero el será mucho + de falta de honradez. *habrá*

Capricornio
¿consegiréis su pelo para cortar porque conseguirá el chicle pegado en él. y también no se lavaréis por una semana. *se* *á* *tendrá*

Revision: the main tenses of verbs

A Revise the rules on spelling changes in the present tense, then fill in the missing forms from memory.

1 [ellas] _____ (jugar)
2 [tú] _____ (dormir)
3 [yo] _____ (pensar)
4 [nosotros] _____ (pedir)
5 [ellos] _____ (querer)
6 [vosotros] _____ (corregir)
7 [yo] _____ (jugar)
8 [ellas] _____ (poder)
9 [Vd.] _____ (volver)
10 [él] _____ (entender)
11 [tú] _____ (encontrar)
12 [–] _____ (llover)
13 [Vds.] _____ (sentir)
14 [yo] _____ (preferir)
15 [ella] _____ (mostrar)

B Revise the present tense of irregular verbs, then fill in the missing forms from memory.

1 [yo] _____ (saber)
2 [tú] _____ (decir)
3 [yo] _____ (salir)
4 [nosotros] _____ (ir)
5 [yo] _____ (estar)
6 [Vd.] _____ (oír)
7 [yo] _____ (poner)
8 [ellas] _____ (tener)
9 [Vd.] _____ (venir)
10 [él] _____ (decir)
11 [tú] _____ (ir)
12 [yo] _____ (tener)
13 [Vds.] _____ (ser)
14 [yo] _____ (hacer)
15 [ella] _____ (ser)

C Fill each gap with the appropriate form of *ser* or *estar*, using the present tense in sentences 1–5 and past tenses in sentences 6–10.

1 Me gustan mis nuevos vecinos – _____ andaluces.
2 Su pueblo _____ al norte de Granada.
3 _____ simpáticos, pero su hija _____ muy tímida.
4 Me gustaría presentárseles pero no _____ en casa.
5 _____ importante _____ amigos con sus vecinos.

6 Cuando vi a Maribel la semana pasada, ella _____ sola en el parque.
7 _____ un poco triste, y muy cansada.
8 Su padre _____ enfermo y, ya sabes, _____ su cumpleaños.
9 Su novio no _____ en Madrid y _____ una situación complicada.
10 Los últimos meses _____ bastante difíciles para ella.

D Translate the following negative sentences into Spanish.

1 I have never visited London.

   _____

2 No-one has left you a message.

   _____

3 I didn't see anyone in the bar.

   _____

4 They don't like any of those people.

   _____

5 He never calls his mother – he didn't even call on her birthday!

   _____

6 I have nothing to say to them.

   _____

E Complete the gaps in the following sentences using the perfect tense of the verbs given; then translate the sentences into English. Watch out for irregular past participles.

1 Enrique no la _____ _____ hoy. (*ver*)

   _____

2 Niñas, ¿no os _____ _____ todavía? (*levantarse*)

   _____

3 [Ellos] Me _____ _____ la noticia, pero yo no la _____ _____ a ella. (*decir* x2)

   _____

4 [Yo] _____ _____ las maletas y Pablo las _____ _____ en el coche. (*hacer, poner*)

   _____

5 ¿Por qué [tú] _____ _____ tan temprano? [Yo] _____ _____ _____ pero no _____ _____ _____ . (*venir, ducharse, vestirse*)

   _____

F Revise the preterite forms, especially of the irregular verbs, and then translate the following into Spanish on a separate sheet using the preterite tense. The infinitives of the verbs you need are in the box below.

1 What did they give you?

2 I couldn't open the door, so I rang the bell.

3 He read the paper and told her the news.

4 I lost my glasses yesterday. I looked for them everywhere and finally found them on the television.

5 We went to the Picos de Europa in May. We drove from San Sebastián.

6 Isabel came to see us last week. She brought four suitcases!

> encontrar ir tocar dar conducir perder decir
> poder venir buscar traer leer abrir decir

G Complete the following sentences with either the imperfect or the imperfect continuous form of the verb given.

1 _____ cuando entré. (*leer*)

2 _____ mucho cuando _____ en la cárcel. (*leer, estar*)

3 Cuando [yo] _____ en la ciudad, _____ a la piscina todas las mañanas. (*trabajar, ir*)

4 _____ muy rápido cuando atropelló al gato, que _____ en el centro de la calle. (*conducir, dormir*)

5 A mis abuelos les _____ mucho escuchar música. Siempre, cuando [nosotros] les _____, _____ música. (*gustar, visitar, escuchar*)

H Translate the following sentences into Spanish, using the pluperfect where appropriate.

1 Last week she went on holiday; she had packed at the weekend.

2 She said she had told me the dates of her holiday.

3 In fact, she had decided to go without telling me!

4 When he got to the house, he couldn't get in – he had left his keys at the restaurant.

5 He found that he had also forgotten his credit card.

6 He phoned the restaurant – luckily, they had found his things and had kept them for him.

I Read the following extract from *Leyendas* by Gustavo Adolfo Béquer. Draw up a table like the one below. Complete it for all the verbs in the extract. Use a dictionary as necessary but think about the best way to translate the verbs in context.

verb	tense	translation into English

LA CRUZ DEL DIABLO

El crepúsculo comenzaba a extender sus ligeras alas de vapor sobre las pintorescas orillas del Segre, cuando, después de una fatigosa jornada, llegamos a Bellver, término de nuestro viaje.

Bellver es una pequeña población situada a la falda de una colina, por detrás de la cual se ven elevarse, como las gradas de un colosal anfiteatro de granito, las empinadas y nebulosas crestas de los Pirineos.

Los blancos caseríos que los rodean, salpicados aquí y allá sobre una ondulante sábana de verdura, parecen a lo lejos un bando de palomas que han abatido su vuelo para apagar su sed en las aguas de la ribera ...

A la derecha del tortuoso sendero que conduce a este punto, remontando la corriente del río y siguiendo sus curvas y frondosas márgenes, se encuentra una cruz.

El asta y los brazos son de hierro; la redonda base en que se apoya, de mármol, y la escalinata que a ella conduce, de oscuros y mal unidos fragmentos de sillería.

La destructora acción de los años, que ha cubierto de orín el metal, ha roto y carcomido la piedra de este monumento, entre cuyas hendiduras crecen algunas plantas trepadoras que suben enredándose hasta coronarlo, mientras una vieja y corpulenta encina le sirve de dosel.

Yo había adelantado algunos minutos a mis compañeros de viaje y, deteniendo mi escuálida cabalgadura, contemplaba en silencio aquella cruz, muda y sencilla expresión de las creencias y la piedad de otros siglos.

Un mundo de ideas se agolpó en mi imaginación en aquel instante. Ideas ligerísimas sin forma determinada, que unían entre sí, como un invisible hilo de luz, la profunda soledad de aquellos lugares, el alto silencio de la naciente noche y la vaga melancolía de mi espíritu.

51

More verb forms

The conditional

Reminder

◆ The conditional is used to express 'should/ought to', and 'would': *Debería cambiar de empleo.* She should change her job.
Nos gustaría ir de vacaciones. We would like to go on holiday.
Note: You do not need the conditional simply to ask whether someone 'would like' something. You can simply use *querer*, e.g. *¿Quieres ir al cine?*

A Underline the conditional verbs and translate the sentences into English.

1 Deberían dejar de fumar.

   _____

2 Nos gustaría verles.

   _____

3 Ayer me dijo que llegaría a las diez.

   _____

4 Yo, en tu lugar, compraría un nuevo coche.

   _____

5 ¿Podrías traer un litro de leche? No tengo tiempo para salir.

   _____

6 Raquel me dijo que nunca viviría en la ciudad.

   _____

7 Yo que tú hablaría con ella para explicarle todo.

   _____

8 Por favor, ¿podríais decirnos dónde hay un banco?

   _____

Reminder

◆ To form the conditional, take the infinitive and add the endings shown in bold below. As in the future tense, some verbs are irregular (see page 48).

hablar	decir
habl**aría**	d**iría**
habl**arías**	d**irías**
habl**aría**	d**iría**
habl**aríamos**	d**iríamos**
habl**aríais**	d**iríais**
habl**arían**	d**irían**

B Translate the following into Spanish.

1 you (*tú*) would eat _____
2 I would go _____
3 they would choose _____
4 you (*vosotros*) would drink _____
5 you (*Vd.*) would sell _____
6 he would know _____
7 I would go out _____
8 you (*vosotros*) would come _____
9 we ought to _____
10 they would make _____
11 she would be able to _____
12 they would put _____
13 you (*Vds.*) would see _____
14 we could ask Pilar _____
15 I should answer _____

C Choose a suitable verb from the box and put it in the conditional to fill each gap.

¿Qué haría un buen ecologista?

1 _____ papel reciclado.
2 _____ sus residuos domésticos.
3 _____ en vez de bañarse.
4 _____ energía solar en su casa.
5 _____ productos verdes para hacer las tareas domésticas.
6 _____ a pie en vez de ir en coche.
7 Para viajes más largos, _____ el transporte público.
8 Nunca _____ basura en la calle.
9 _____ legumbres orgánicas.
10 No _____ jamás ni agua ni electricidad.

> reciclar   tener   derrochar   ir   ducharse
> comer   tirar   usar   comprar

D Translate this paragraph into Spanish on a separate sheet.

In a cleaner environment ... we would all be healthier. Traffic problems would disappear, fewer children would suffer from asthma, and the streets would be less dirty. We'd also be able to save endangered species.

Reminder

◆ In sentences with *si* and the conditional, you often need to use the subjunctive in the *si* part of the sentence. See page 58 for guidance and practice on these constructions.

ánimo

Grammar Workbook Answers

Note: Where students are required to circle answers in their workbook, the answers appear in bold in this answer booklet.

Nouns and determiners

Gender (page 5)

A Students' choice of answers

B 1 la 2 la 3 el 4 la 5 la 6 el 7 la 8 el 9 la 10 el 11 el 12 el

C 1 maquinista 2 portuguesa 3 fundadora 4 estudiante 5 madrileña 6 profesora 7 joven 8 enfermera 9 americana 10 turista

Singular and plural nouns (page 6)

A 1 las manos 2 los colegios 3 los cafés 4 los ingleses 5 los sofás 6 las revoluciones 7 los reyes 8 las cabezas 9 las comunidades 10 los ordenadores

B 1 las luces 2 los lunes 3 las voces 4 los autobuses 5 los andaluces

C 1 la ropa 2 la aduana 3 vacaciones 4 deberes

D 1 familias 2 compras 3 supermercados 4 cientos 5 coches 6 mercados 7 colores 8 frutas/verduras 9 verduras/frutas 10 voces 11 vendedores

Suffixes (page 6)

A 1 a hefty bloke 2 a nasty bout of the flu 3 a very small girl 4 a little dog 5 a little while 6 a little bell 7 a short little chap 8 a huge door

Definite and indefinite articles (page 7)

A 1 el 2 unos 3 unas, un, una 4 una, unos 5 un, los 6 un, unos 7 el, la, el 8 los, unas 9 los, las 10 la, un, la, un, la, un, el, un, el, unas, la, la

B 1 Pablo es dentista. 2 Conchita espera hacerse profesora. 3 Mi hermano es ingeniero y mi hermana es estudiante. 4 Me gustaría hacerme/ser traductor(a). 5 Su sueño es hacerse jugador de tenis.

C 1 <u>Los</u>, Gucci shoes are very expensive. 2 <u>La</u>, Life in Madrid is very interesting. 3 <u>los</u>, What's your opinion – are children less intelligent than adults? 4 <u>El</u>, Spanish wine is cheaper than French wine. 5 <u>las</u>, <u>la</u> I love tapas and Spanish beer.

D 1 Venezuela es un país muy hermoso. 2 Las enchiladas chilenas son deliciosas. 3 Me gustaría hacerme periodista, pero ¡es probable que voy a hacerme secretaria! 4 Los coches alemanes son populares en toda Europa, pero los coches españoles son menos caros. 5 La mayoría de las casas tradicionales andaluzas son blancas. 6 Le gustan los deportes, sobre todo el baloncesto y la pelota. 7 Mi padre es fontanero y mi hermano es enfermero. 8 Se ha hecho daño en la cabeza y en la mano – ¡está de mal humor! 9 No me gustan mucho las películas románticas, pero me gustan las películas cómicas. 10 Es alérgica a los cacahuetes, así que no come pasteles.

E 1 The good thing is, I've got a new job. The bad thing is, I have to work on Saturdays. 2 What's interesting is that Felipe is going to marry Mercedes. 3 The sad thing is, Juan's mother is ill. The good thing is that she's getting better.

F 1 al 2 del 3 del 4 al 5 del

G 1 La directora del departamento de marketing está enferma. 2 Vio a un toro en el centro del campo. 3 Ana va a mandar un e-mail al banco. 4 Dio una zanahoria al caballo. 5 He sacado cien euros del cajero y ahora voy al mercado. 6 Voy a llamar al hospital.

Possessive adjectives (page 8)

A 1 mis hermanos 2 nuestros abuelos 3 tus deberes 4 sus vaqueros 5 sus libros 6 su coche 7 nuestras hermanas 8 vuestra casa

B 1 sus 2 sus 3 su 4 sus 5 mis 6 su 7 su 8 su 9 sus 10 tu 11 tus 12 tus

C 1 Your boyfriend is better looking than mine. 2 These keys are ours, they're not yours. 3 The ham sandwich is yours; the cheese one is mine.

Adjectives and adverbs

Agreement of adjectives; shortened adjectives (page 9)

A 1 **pareja** <u>perfecta</u> (fem.sing.) 2 **amiga** <u>ideal</u> (fem.sing.) 3 **padre, yo** <u>obstinados</u> (masc.plur.) 4 <u>Muchos</u> **jóvenes**, <u>buena</u> **relación** (masc. plur.; fem.sing.) 5 el **tiempo** <u>libre</u> (masc. sing.)

B 1 inglesa 2 preocupada 3 obstinada, simpática 4 personal, inteligentes

C 1 estresados 2 diferente 3 contenta 4 pequeños 5 personales 6 interesantes 7 triste 8 mejor

D 1 interesante 2 encantadora 3 barcelonesa 4 verde 5 holgazana 6 española

E 1 buen 2 primer 3 mal 4 ningún 5 abierto 6 segundo 7 gran 8 aburrida 9 tercer

Position of adjectives (page 10)

A 1 <u>unida</u>, a united family 2 <u>serio</u>, a serious teacher 3 <u>confidencial</u>, a confidential document 4 <u>interesante</u>, an interesting question 5 <u>difíciles</u>, some difficult decisions

B 1 un día agradable 2 una familia contenta 3 los estudiantes inteligentes 4 unos exámenes importantes 5 la música clásica 6 un regalo magnífico 7 una respuesta estúpida 8 los niños tímidos 9 mis amigos franceses 10 una crisis permanente

C Tomorrow poor Pedro is going to have a bad day. Some young students are going to have a big party in the old bar below his little flat.

D 1 long-time, big 2 great, poor (financially) 3 new (different), new (brand new)

E 1 Haven't you eaten enough chocolate? 2 Yes – I've eaten too much chocolate! 3 In this town there are lots of shops but few restaurants. 4 In the library I didn't see a single student, but I did see some other people – for example, some old men who were asleep.

F 1 Conducía un coche pequeño y negro. 2 Compró unas flores blancas y caras. 3 Están de vacaciones en una hermosa villa francesa. 4 Tiene dos hermanos feos y aburridos, pero ¡son ricos!

Comparative and superlative adjectives (page 11)

A 1 menos, que 2 tan, como, más, que 3 más, que, más, que 4 tan, como

B nocivo, delicioso, sano, cara, sano, peligrosa

  1 El pollo es menos sano que las hamburguesas. 2 Los tomates no son tan apetecibles como el chocolate, pero son más sanos que el chocolate. 3 El esquí es más emocionante que la pesca, y además la pesca es menos peligrosa que el esquí/el esquí es más peligroso que la pesca. 4 Alemania no es tan montañosa como España.

C 1 mejor 2 mejor 3 menor, mayor 4 más grandes

D 1 la más, I think Salamanca is the most beautiful city in Spain. 2 los más, In many countries Aids is one of the most serious problems for doctors. 3 el menos, Retirement is the least interesting topic for young people. 4 el más, I don't like snooker; it's the most boring sport in the world. 5 las más, Mexican comedies are among the most popular films.

E 1 peligrosas 2 sucias 3 contenta 4 sano 5 grave

F 1 rapidísimo, muchísimo 2 aburridísima, dificilísima

More determiners: demonstrative and indefinite adjectives (page 12)

A 1 aquellas montañas 2 este coche 3 esas ideas tuyas 4 aquella ciudad en Navarra 5 estos vaqueros

B 1 aquella 2 ese 3 estos 4 aquellas 5 estos

C 1 These trainers are more expensive than those. 2 What are those trees? Those are apple trees, but these are pear trees. 3 Which sandwich do you prefer? This ham one or that cheese one? 4 Which is your rucksack? This one or that one? 5 I need to buy some postcards but I don't like these. 6 Which sweater are you going to buy? That blue one or this red one? 7 I like them both, but I have to choose – I'll take that one. 8 Children, can you see those horses? There, in front of that house. 9 These jeans are too small. Can I try those? 10 Do you see that man? He's the one that gave me those flowers.

D 1 <u>toda</u> **semana** (f sing) 2 <u>todo</u> **día** (m sing) 3 <u>todos</u> **problemas** (m pl) 4 <u>Todos</u> **bares** (m pl) 5 <u>Todas</u> **mujeres** (f pl)

E 1 toda 2 todos 3 todo 4 todas

Interrogatives and exclamations (page 13)

A dónde, Cómo, Qué, Cuántas, Cómo, Por qué, Qué, Cuánto, Cuándo, qué

B 1 ¿Cuál es la capital de Venezuela? 2 ¿Quién es el presidente de Argentina? 3 ¿Qué solución propones? 4 ¿Quiénes son esos hombres? 5 ¿Cuál es la diferencia entre el español castellano y el español colombiano, por ejemplo? 6 ¿Quién ha llamado hoy? 7 ¿Con quién va a la conferencia, Señor Ramón? 8 ¿Cuáles fueron las causas de la Guerra Civil? 9 ¿Quién se hizo presidente de España después de la muerte de Franco? 10 ¿Cuál es tu/su opinion? ¿Quién va a ganar las elecciones?

C Listen, Mercedes, I've got some surprising news about Miguel and Ana …
What news? Are they going to get divorced? What a shame!
No, but Miguel has finally left her.
What? Miguel has left Ana? But what a surprise! I'd have thought Ana was going to leave Miguel. Well, what news! Such a nice man, and her, well, I don't want to give you my opinion of her …
Yes, what a disgrace.

Adverbs, intensifiers and quantifiers (page 14)

A 1 frecuente/frecuentemente (frequently) 2 fácilmente (easily) 3 tristemente (sadly) 4 mal (badly) 5 tranquilo/tranquilamente (quietly) 6 bien (well)

B 1 peor 2 más claramente 3 mucho mejor 4 más frecuentemente que 5 menos fácilmente que 6 menos rápido que 7 más seriamente

C 1 <u>de una manera muy franca</u>, They spoke to me very bluntly. 2 <u>muy barato</u>, In this restaurant you can eat very cheaply. 3 <u>Por fin</u>, In the end we arrived home. 4 <u>de un modo bastante independiente</u>, Federico works in a fairly independent way. 5 <u>con cuidado</u>, Goodbye – and drive carefully!

D 1 <u>felizmente</u>, very 2 <u>imposible</u>, completely 3 <u>fácil</u>, quite, fairly 4 <u>caro</u>, too 5 <u>importante</u>, much more 6 <u>rápido</u>, more and more 7 <u>difícil</u>, particularly 8 <u>complicado</u>, extremely 9 <u>frecuente</u>, less and less 10 <u>ridículo</u>, totally 11 <u>prudente</u>, not very 12 <u>fantástico</u>, really, truly

E 1 mucho más importante / especialmente difícil / sumamente complicado / totalmente ridículo 2 completamente imposibles / sumamente complicadas / totalmente ridículas / realmente fantásticas 3 muy frecuente / cada vez más rápido 4 completamente imposible / demasiado cara / sumamente complicada / totalmente ridícula / realmente fantástica 5 cada vez más rápido / aún menos frecuente / poco prudente

F Students' choice of answers

G Los robos ocurren cada vez más frecuente(mente). Todo el mundo está muy preocupado. La policía dice que la solución del crimen es sumamente complicada y demasiado cara, pero yo creo que esa excusa es completamente ridícula. Están completamente obsesionados en la detención de automovilistas que conducen con poco cuidado; claro, ese problema es muy importante pero en mi opinión, los robos son mucho más graves.

Revision: nouns, determiners, adjectives, adverbs (pages 16–17)

A 1 sistema 2 frase 3 avión 4 pena 5 problema

B 1 departamento 2 lenguas 3 suerte 4 ordenadores 5 programas 6 pares 7 investigaciones 8 proyectos 9 estadísticas 10 datos 11 vida 12 materiales 13 vídeos 14 libros 15 biblioteca 16 diccionarios 17 obras 18 referencia 19 mapas 20 países

C 1 el, –, la 2 un, el, un 3 unos, la, el, las, la 4 los, unos, del, la, un 5 el, el, las, los, lo, la, los, el, la, el, –

D 1 su jefe y su sueldo enorme 2 nuestra región y sus problemas de tráfico 3 mi vida y mis planes para el futuro 4 Sus amigos viven cerca de los nuestros. 5 Esa es su/tu/vuestra opinión pero no es la mía. 6 He aparcado mi coche al lado del suyo.

E 1 Mis amigos portugueses quieren un piso nuevo con un balcón grande y una vista bonita. 2 No soy de acuerdo con todas sus ideas políticas, pero es un buen amigo y un colega simpático. 3 ¡La hermana mayor de mi amiga madrileña va a casarse con un gran torero colombiano!

F 1 Su familia es más grande que la mía, pero más unida. 2 La mayor parte de las universidades españolas son más pequeñas que las británicas. 3 El vegetarianismo no es tan popular en España como en el Reino Unido. 4 La comida orgánica no es siempre más cara, pero es más común en los mercados que en los supermercados. 5 Las verduras y las frutas son más baratas que el queso y la carne, ¡y más sanas también! 6 Conduce con menos cuidado que su esposa, pero ella conduce más rápido/rápidamente. 7 Escribe mucho mejor que ella, pero mucho más lentamente.

G 1 aquellas 2 este 3 este, aquellas 4 ese, esta

H 1 ¡Qué desastre! ¿Cómo va a reaccionar? 2 ¿Se ha ido? ¡Qué lástima! ¿Cuándo salió? 3 ¿Cuál es la capital de Costa Rica? Y ¿quién es el líder del país? 4 ¿Por qué te levantas? ¿Qué hora es? ¡Ay no, qué lata – voy a llegar tarde al trabajo! 5 ¿Cuáles son las diferencias entre la vida en España y la vida en Chile? ¡Qué pregunta! ¿Cuánto tiempo tienes?

Prepositions, conjunctions and pronouns

Prepositions (pages 18–20)

A 1 enfrente de, entre 2 en 3 detrás de, al lado del 4 dentro de 5 delante del 6 sobre/en, en, debajo de

B 1 durante 2 antes de 3 después de 4 hacia 5 por 6 desde 7 hasta 8 a

C 1 Estábamos bailando desde las diez hasta las dos de la mañana. 2 Llegaré hacia las ocho y te esperaré delante del cine – está enfrente de la catedral. 3 Dame ese libro – mira, está en el suelo, debajo del periódico, entre el sofá y la silla. 4 Si salimos por la tarde, después de la hora punta, llegaremos dentro de dos horas.

D 1 on time; the next day/on the following day 2 50 km from 3 twice a week; about the weather 4 in the sun, in the shade 5 nine-year-old 6 to go shopping 7 by bike, by bus 8 on the table, onto the floor 9 at around two o'clock

E 1 <u>Según nuestros cálculos, sobre sesenta mil</u>, according to our calculations, around/about sixty thousand 2 <u>ante el tribunal</u>, <u>a mi ver</u>, <u>de todos</u>, before the court, in my view, of them all 3 <u>Por fin</u>, <u>bajo la lluvia</u>, <u>desde las once</u>, at last, in the rain, from eleven o'clock 4 <u>por la escalera</u>, <u>ante esa situación</u>, <u>con prisa</u>, down the stairs, faced with that situation, in a rush

F 1 Según mi padre, delincuentes como estos deben aparecer ante un juez. 2 Ante estos problemas, el gobierno debe tomar unas decisiones – ¡y de prisa! 3 Entre todos los bares de Madrid, este es el más grande – a mi ver, hay sobre quinientas personas aquí.

G 1 por 2 para 3 por 4 por 5 para, por 6 por, para 7 para, para 8 por, por, para

H 1 Para llegar a España viajarán por Francia en coche. 2 Para empezar eligió este ordenador para su trabajo pero debería haber comprado un portátil para sus viajes. 3 Buscamos un cajero automático – ¿hay uno por aquí? Sí, tomen la calle a la derecha y crucen el puente. Hay un cajero en la esquina. 4 Andaba por el mercado buscando un regalo para mi madre.

I 1 de seda, She was wearing a silk shirt. 2 de acuerdo, I don't agree with you. 3 de moda, Red isn't in fashion. 4 de ocho pisos, del siglo XX, That eight-storey building dates from the 20th century. 5 de Madrid, de su empresa, The gentleman from Madrid was talking about his business. 6 De vez en cuando, voy de compras, From time to time I go shopping with my mother. 7 de dos años, de veras, My sister has a two-year-old son, Oh really? 8 de madera, Juan's lorry was already full of wood.

J Students' choice of answers

K 1 a finales del año 2 al día siguiente 3 a la izquierda 4 a tiempo 5 a 10 euros el kilo 6 a la sombra 7 cinco veces al mes 8 a los ochenta años 9 a 20 km de mi casa 10 a veces

L 1 A veces se pueden comprar manzanas en el mercado a dos euros el kilo. 2 Toma ese camino a la derecha y podremos aparcar a la sombra. 3 A los sesenta años todavía nadaba tres veces a la semana. 4 Al día siguiente un accidente tuvo lugar a unos metros de la casa de mi madre. 5 A finales del año voy a tomar unas vacaciones. 6 No vas a terminar a tiempo, estoy seguro.

M 1 golpeó a 2 Odia a 3 mató al 4 Engañaba a 5 Pidió al 6 Echa de menos a

Conjunctions (page 21)

A 1 d, así que, therefore 2 a, después, then 3 g porque, because 4 e, y, and 5 b cuando, when 6 h, sin, without 7 c, o, or 8 f, pero, but

B 1 para que 2 antes de 3 a menos que 4 cuando 5 después que 6 sin que 7 mientras

C 1 Antonio no fuma porque hace mucho deporte. 2 Bebe vino de vez en cuando pero no ha nunca bebido demasiado. 3 Come muchas frutas porque trata de mantenerse en forma. 4 Corre cada mañana antes de/después de tomar el desayuno. 5 Cuando hace buen tiempo, va al trabajo en bici. 6 Hace ejercicios mientras ve la televisión.

D 1 Me gustaría hacerme traductor(a) pero sé que es difícil. 2 Cuando era joven fumaba mucho más. 3 Mientras sus amigos estaban en el cine, trabajaba. 4 Mucha gente es vegetariana porque cree que las verduras son más sanas que la carne. 5 No se puede ganar mucho dinero sin trabajar duro. 6 Voy a ducharme antes de salir. 7 ¿Quieres ir a un bar después de comer, o prefieres irte a casa?

Personal and reflexive pronouns (page 22)

A 1 for emphasis/contrast 2 because the verb endings do not reveal who the subject is 3 because the verb endings do not reveal who the subject is 4 for politeness 5 because the verb endings do not make it clear who is being referred to

B 1 vosotros 2 Vd. 3 tú 4 Vds. 5 vosotros 6 tú

C 1 Me 2 Nos, se, se, Me 3 se 4 me, me 5 nos, nos 6 se 7 nos 8 nos, me

D 1 Se quieren. 2 Se llaman por teléfono cada día. 3 Se encuentran en la plaza cada tarde. 4 A menudo se dan pequeños regalos. 5 Todo el mundo se pregunta cuándo se van a casar.

Direct object pronouns (page 23)

A 1 lo, Where's Miguel? Can you see him? 2 lo, His girlfriend has left him. 3 nos, The police know us well. 4 los, Have you got those papers? No, I've lost them. 5 la, I often write to my mother. I love her very much. 6 las, Your keys? But you've got them there in your hand!

B 1 me, They're watching me! 2 la, I don't know where my sister is, I'm going to look for her. 3 la, This shirt is dirty. Wash it, please. 4 lo, His/her new CD? He/she is listening to it. 5 los, Do you see those books? Put them on that shelf. 6 lo, Your taxi? Yes, madam, I'll send it right away. 7 las, Pedro, you haven't eaten your vegetables. Eat them, please! 8 la, Where's your rucksack? I don't know, I'm looking for it.

C 1 No, no los tengo. 2 No, no lo espero. 3 No, no lo compro. 4 No, no la visitamos.

D Bueno, hoy hacemos una ensalada de frutas, con naranjas, un melón, y uvas. Vamos a sazonar<u>la</u> con jengibre y menta. Bueno, aquí tengo las naranjas – <u>las</u> he pelado y <u>las</u> voy a cortar en rodajas …. y las uvas, lo mejor es pelar<u>las</u>, pero si no hay tiempo de hacer<u>lo</u>, no importa. Lo importante es cortarlas en dos y quitarles las pepitas. Yo <u>las</u> he pelado, como ven Vds. … también el melón, <u>lo</u> he cortado en pedazos. Bueno, ahora tomo todas las frutas y <u>las</u> mezclo en este bol. Es buena idea rociar<u>las</u> con jugo de limón, para que no se descoloren … Ahora, el jengibre … tenemos que pelar<u>lo</u> y cortar<u>lo</u> en pedazos muy pequeños … voy a añadir<u>los</u> a la ensalada. Para acabar, la menta. Tengo unas doce hojas, y <u>las</u> voy a cortar. Lo mejor es hacer<u>lo</u> en el último momento, para mantener<u>las</u> frescas. Y aquí tenemos una ensalada riquísima de frutas – ¡aún más rica cuando la coman con crema batida!

Well, today we're making a fruit salad, with oranges, a melon and grapes. We're going to flavour it with ginger and mint. Now, here I've got the oranges, I've peeled them and I'm going to slice them … and the grapes, the best thing is to peel them, but if there isn't time to do it, it's not important. The main thing is to cut them in half and take out the pips. I've peeled them, as you see … also the melon, I've cut it into chunks. OK, now I take all the fruit and put it into this bowl. It's a good idea to sprinkle it with lemon juice so it doesn't discolour. Now, the ginger – we have to peel it and cut it into tiny pieces … I'm going to add them to the salad. Finally, the mint. I've got a dozen or so leaves, and I'm going to chop them up. The best thing is to do it at the last minute, to keep them fresh. And here we have a delicious fruit salad – even more delicious if you eat it with whipped cream!

E 1 No me gusta mucho el queso, así que no lo como. 2 ¿Puedes explicar estas instrucciones? No las comprendo. 3 Daniel ha perdido sus gafas otra vez. ¿Las has visto? 4 Busco a Felicia y Xavier. ¿Les has visto? 5 ¿Dónde está ese florero? ¿Lo ha roto? 6 Compré unos pasteles – ¿Vamos a comerlos? 7 Me gusta el francés y voy a estudiarlo en la universidad. 8 No pude resistir esas botas – ¡tuve que comprarlas!

Indirect object pronouns (page 24)

A me, les, le, nos, le, me, me, nos, me, le
my parents gave me a mobile phone, I gave them some good books, my father gave him a tennis racquet, my grandmother sent us some money, I phoned her and she talked to me, she told me that she's going to visit us at Easter, She asked me to lend her my mobile, I said no (to her).

B 1 regalar 2 dar 3 enviar 4 llamar por teléfono 5 hablar 6 decir 7 visitar 8 pedir 9 prestar 10 contestar

C 1 Les hablé ayer. 2 Le preguntamos por qué había salido. 3 Mi amigo me prestó dinero. 4 Nos llamaron la semana pasada. 5 Le has dado un regalo. 6 Te he dicho la verdad. 7 Va a escribirles el lunes. 8 Voy a darle el cheque mañana.

D 1 My ears hurt. 2 She/he has broken her/his leg. 3 His/her eyes hurt. 4 Come here, Manuelito, I'm going to wash your hands. 5 Why are you taking that aspirin? Have you got a headache?

E 1 La profesora le pidió que tradujera las frases. 2 El médico le aconsejó que tomara este medicamento. 3 Queremos que les visites. 4 Le dije que no me gustó el vino. 5 Mi padre le ha prohibido que fume. 6 La profesora nos ha permitido que estudiemos en la biblioteca.

F 1 Pedí a Enrique que me prestara su coche, pero me dijo que no era posible. 2 Aconsejó a mi amigo que dejara de beber, pero le dijo a ella que le dejara en paz. 3 Siempre está hablando con su perro, pero el perro no le escucha nunca.

Order of pronouns (page 25)

A 1 Me, These flowers? He/she gave me them yesterday. 2 te, The money? We've sent it to you already. 3 te, me, They told you but they haven't told me. 4 Me (x2), You've told me a thousand times – don't tell me again! 5 Me, Conchita, what are you doing with those cigarettes? Give them to me, please! 6 Me, Those books need to reach me tomorrow. Send them to me this afternoon, please.

B 1 I always give them to her. 2 He gives it to them. 3 I've told him/her. 4 Maria gave him it. 5 I'm going to give her them. 6 I'm going to tell him them.

Pronouns after prepositions (page 26)

A 1 a ella, a él 2 a Vd., a ellas

B 1 Pablo, ¿quieres venir de vacaciones con nosotros? 2 Esta carta es para Vd., señora. 3 Mandó el mensaje con ella. 4 No puedo ir sin ti. ¡Ven conmigo! 5 No puedo ver porque está delante de mí.

Relative pronouns (pages 26–27)

A 1 La chica <u>que</u> llamó, the girl who phoned 2 El equipo <u>que</u> ha ganado, the team who won 3 el CD <u>que</u> buscabas, the CD (that) you were looking for 4 La explicación <u>que</u> me dieron, the explanation (that) they gave 5 El hombre <u>que</u> está cantando; la mujer <u>que</u> está tocando, the man (who is) singing, the woman (who is) playing

B 1 El hombre que acaba de llegar es mi hermano. 2 La gente que dice eso, no comprende la situación. 3 El chico que conocí en Málaga me ha enviado un e-mail. 4 La asignatura que prefiero es la geografía. 5 ¡El teléfono que compré ayer no funciona!

C 1 con quienes 2 de que/de quien 3 con que/con quien 4 a que 5 en que 6 a que

D 1 Those little streets we used to walk in don't exist nowadays. 2 The house we were saving up for has been sold. 3 The shelf I put my books on has fallen down! 4 By the door there's a flower pot, in which you will find the keys. 5 The route you came along is very pretty.

E 1 the house 2 the cat 3 the friends

F 1 Este es el lugar donde tenemos que doblar a la izquierda. 2 Estoy visitando a amigos en el pueblo donde nací. 3 Esta es la plaza donde tomábamos una cerveza.

G 1 cuyo 2 cuyos 3 cuyas

Possessive and demonstrative pronouns (page 28)

A 1 el tuyo 2 la vuestra 3 el suyo 4 la nuestra 5 los tuyos, los míos 6 el nuestro 7 el suyo

B 1 la mía 2 la suya 3 la nuestra, la suya 4 el mío 5 los míos

C 1 que ése 2 comer éstos 3 son aquellas 4 y aquél 5 esto 6 Ésa es

Indefinite pronouns and adjectives (page 29)

A 1 algo 2 Alguien 3 Algo, alguien 4 algo 5 algo 6 Alguien 7 algo

B 1 Algunas 2 alguna 3 algún 4 algunas 5 algunos

C Do you want something to eat?
Well, I don't know … I'm not very hungry … shall we have something light?
Yes, I'm sure there's something tasty in the fridge. Do you prefer something sweet?
No, thanks, I'd prefer something savoury – have we got any spaghetti, for example?
Spaghetti? But you said you wanted something light!

D 1 muchas 2 muchos 3 todo 4 poco 5 mucho 6 tantos

E 1 We have to find another solution. 2 I've got to choose – this shirt or the other one? 3 You can take any of the books. 4 He gave them each a present. 5 Each student has various books to read.

F 1 Cuáles 2 Qué 3 Cuál 4 Cuáles 5 Qué

Revision: prepositions, conjunctions and pronouns (pages 30–31)

A (1) **Para** encontrar la casa, siga estas instrucciones. Estamos (2) **cerca de** Santa Felicia, (3) **a 20 km de** San Miguel. Primero, vaya (4) **hasta** el centro de San Miguel y siga el camino que le lleva (5) **hacia** Santa Felicia. Cuando salga de Santa Felicia, (6) **antes de** cruzar el puente, doble (7) **a** la izquierda, (8) **enfrente del** colegio. Hay una carnicería (9) **en** la esquina. Continúe (10) **hasta** un lago que verá (11) **a la derecha.** (12) **Después del** lago, busque un pequeño camino (13) **al lado de** una cruz. Tómelo, y continúe (14) **por** este camino. (15) **Después de** unos dos kilómetros, encontrará nuestra casa (16) **delante de** usted. Si sale a las diez, debería llegar (17) **hacia** las diez y media.

B 1 de, a 2 de, a 3 A, a 4 a, al 5 de 6 en, de

C 1 cuando, pero, cuando, She always chats for an hour when I ring her, but when she rings me we only talk for five minutes!
2 porque, y, It's difficult to understand him because he talks very fast and he's lost his teeth. 3 sin/antes de, I can't decide without/before talking to you. 4 y, así que, después de, The journey is very long and it's very hot so I'll need to shower after I arrive. 5 Cuando, pero, When you are studying in Madrid you'll make new friends, but don't forget us!

D 1 Se <u>lo</u> me, I've explained it to them twice but they don't listen (to me). 2 <u>lo</u> se<u>la</u>, Slice the lemon and add it to the sangría. The sangría is now ready for your guests – serve it to them straight away. 3 se<u>las</u> le se<u>lo</u> me <u>lo</u> Me, Darling, have you got the car keys? Give them to my mother, please, because I've promised to lend her it for the weekend. What are you saying (to me)? I need it to go to the airport! You'll drive me crazy!

E 1 ¿Dónde están mis gafas de sol? Nadia, ¿las has prestado otra vez? ¡Dámelas, por favor! 2 Ana quiere hablarte/hablar contigo. Está pidiendo ese mapa. ¿Qué? ¿Ya lo ha perdido? ¡Pero se lo di ayer! 3 El profesor de historia siempre está haciéndome preguntas difíciles. No las comprendo y él no me gusta. 4 ¿Te acuerdas de ese CD que mencionó José? Bueno, lo ha comprado finalmente y está eschuchándolo ahora. ¿Te gustaría oírlo? 5 Me gustaría mucho salir contigo, pero (eso) no le gustaría a mi novio. Es muy posesivo conmigo. ¡Lo siento!

F 1 quien, donde 2 que, quien 3 donde/en que, que 4 que, donde, quien

G 1 That glass is mine, isn't it? Yes, it's yours, and this one is mine. 2 Her/his mother is a programmer and his/her brother is an engineer. And his/her cousin works for my father! 3 A friend of mine wants to go out with that man over there. That one, the chubby guy in black? No, no, that one, the tall one in jeans. Oh, that one. 4 Where's the book I was reading? It's (over) there, under(neath) mine. But that book's not very good – you should read this other one, it's much better. 5 Does your father still live in that same house? No, that house was too big for him and now he lives in town, very near one of my sisters. He was hoping to live with her in her flat, but her husband said no because his own mother already lives there! 6 We're inviting all our friends to a party. Do you want to come with your boyfriend? My boyfriend's left me for one of my friends. But I could ask a friend to come with me …

H 1 algunos 2 poco, algo 3 algunos, todos, algo 4 Algún, alguien 5 alguien, algún, todos 6 cualquiera, todos

The main tenses of verbs

The present tense: regular verbs; the present continuous, the present participle

Regular verbs (page 32)

A 1 a Vas 2 b voy 3 a Vas 4 b juega 5 b es 6 b me encuentro 7 b das

B 1 d 2 b 3 a 4 e 5 f 6 c

C 1 charlo, I chat 2 cantas, you sing 3 baila, he dances 4 visita, you visit 5 tomamos, we take/have 6 viajamos, Marisol and I travel 7 gastáis, you spend 8 pasan, they pass/spend

D 1 comemos, We always eat in a restaurant on Fridays. 2 debes, You shouldn't smoke so much. 3 venden, In our market they sell delicious fruit. 4 saben, Do you know when the train from Madrid arrives?

E 1 Las tiendas abren a las tres. 2 Mi novio escribe poesía para mí. 3 Mi padre vive a 10 km de nuestra casa. 4 En su artículo describe el paisaje de Navarra.

The present continuous, the present participle (page 33)

A 1 **Están preparando**, we're making 2 **Estamos viendo**, we're watching 3 **está trabajando**, she's working 4 **Estás durmiendo**, are you sleeping/asleep? 5 **estoy cortándo**las, I'm chopping them 6 **estamos bañando, se está sacudiendo, estás salpicando**, we're bathing, he's shaking himself, you're splashing

B 1 Por favor, hablad más bajo, niños – ¡estoy escuchando esta música! 2 Miguel está en el baño desde las ocho. Siempre dice que está leyendo el periódico, pero yo pienso que está durmiendo. 3 ¿Dónde están los chicos? Están en el jardín – están jugando al fútbol con los vecinos. 4 ¿Puedes volver a llamar dentro de media hora? Estamos levantándonos.

C 1 sigue leyendo 2 Llevan dos años estudiando 3 siguen jugando 4 Va subiendo 5 seguiré trabajando 6 sigues enviándome

D 1 the following day 2 running water 3 the coming week 4 living plants 5 a surprising idea

The present tense: reflexive verbs; spelling change verbs, common irregular verbs

Reflexive verbs (page 34)

A 1 Nico, are you getting up? It's eleven o'clock! 2 My brother has been building himself a house for a year. 3 He's called Xavier, like his father and his grandfather, but his sons are called Antonio and Ramón. 4 Come on children, we must hurry to get there on time. 5 Are you having a good time in Madrid? Yes, very. We're treating ourselves and we're staying in a nice hotel. We're going out every night. We're getting to bed at two in the morning!

B nos levantamos, me baño, se ducha, nos vestimos, nos divertimos, nos vamos, se llena, no nos llevamos nunca, nos damos el gusto, nos acostamos, no nos damos prisa, nos sentimos

Spelling change verbs and common irregular verbs (page 34)

A 1 Mi equipo juega muy mal. Jugamos todos muy mal – ¿no queremos ganar? Menos Diego, naturalmente. ¡Oye, Diego, juegas muy bien!

2 What a day! I go shopping at quarter to twelve and I don't find anyone there; the shop closes at 11.30 today because the shopkeeper is playing in a football team. I come home, but I can't get in because my keys are in the kitchen. It's raining hard and I think I'm going to end up soaked. Finally I ask the neighbour to let me get in via his balcony. I tell you, I'm feeling very tired.

B 1 salgo, hago, veo 2 doy, sé 3 conozco, pongo 4 Estoy, tengo

C No hago nunca mis deberes, porque salgo cada noche. Ya lo sé – ¡te conozco bastante bien! Bueno, te doy mis apuntes – ¡pero esta es la última vez!

D 1 dicen 2 van 3 Oigo 4 tengo 5 tienen 6 venimos 7 digo 8 tenemos

Ser and estar (page 35)

A es, es, son, está, está, está, está, es
su casa es grande – *ser* because it's describing a long-term characteristic
su mujer es una modelo – *ser* when giving someone's job
sus dos hijos son inteligentes – *ser* for a long-term characteristic
su mujer está en Brasil – *estar* because it's describing location
su madre está enferma – *estar* because it's describing a temporary condition

su padre está un poco deprimido – *estar* because it's describing a temporary condition
su hermano está en la cárcel – *estar* because it's describing location
su hija es heroinómana – *ser* because it's describing a long-term characteristic

B 1 están 2 estoy, es 3 son 4 es, somos 5 está, está 6 son, están 7 está, es, es

Modes of address; gustar (page 36)

A 1 tú 2 Vd. 3 vosotras 4 Vds. 5 vosotros 6 tú 7 tú 8 Vd. 9 vosotros 10 Vd.

B 1 gusta, gustan 2 gustan, gustan, gusta 3 gustan, gusta 4 gusta, gustan

Negatives (page 36)

A 1 Según mi opinión no hacemos suficiente para proteger el medio ambiente. 2 No debemos vivir sin preocuparnos del futuro. 3 Mi coche, por ejemplo, no consume mucha gasolina. 4 En mi familia no nos gusta comprar productos con mucho envoltorio de plástico. 5 A los niños no les interesa este problema. 6 No tiran basura por la calle y no olvidan la importancia del reciclaje.

B 1 Alfonso's coming to the party, isn't he? I hope not. I don't want to see him. 2 And Ramón? Obviously not – he has too much work. 3 But Lisa and Tomás will come, won't they? I don't think so, because Lisa's mother is ill. 4 But *you'll* come, won't you? I suppose so.

C 1 nadie 2 ni, ni 3 ninguno 4 nada 5 ningún 6 no … más 7 tampoco 8 jamás/nunca 9 siquiera 10 nadie

D 1 nada que 2 nada que, ningún … que, ningunos … que

E 1 They didn't even say hello to us. 2 No-one has left me a message? No-one. 3 They will never find the solution to this problem. 4 Have you been to Madrid? Never. 5 Nada ha cambiado. 6 Ni siquiera abrió su correo electrónico. 7 Sé que me olvidarás. No, nunca. 8 Ni el profesor ni tus amigos te comprenden. Yo tampoco.

F 1 He still does not want to go to university. 2 Have you done your homework? No, not yet. 3 He left without her and without saying goodbye. 4 We'll get there by eleven with no problem.

The perfect tense (page 38)

A 1 <u>han llegado</u>, <u>ha llamado</u>, Rosa and Jaime have arrived, but Carlos has called to say he has a problem with his car – he'll be here at ten. 2 <u>¿Han visto?</u>, Have you seen this article on tourism in Chile? 3 <u>hemos lavado</u>, <u>hemos hecho</u>, We haven't done the washing up but we've done all the other chores and we're going to relax in the garden. 4 <u>ha cenado</u>, <u>se ha tomado</u>, Has Paco had his dinner? Yes, and I think he's had a few drinks as well …

B 1 han 2 han 3 has 4 habéis 5 hemos

C 1 invitado 2 comprado 3 comido 4 hablado

D 1 ¿Le has dicho a Manuel el resultado del partido? 2 He perdido mi bolso. ¿Lo has visto? 3 No sé lo que he hecho, pero rehusan de llamarme. 4 Hemos puesto el equipaje en el coche, y ahora esperamos a nuestro amigo.

E 1 no he entendido, I've never understood physics. 2 ha dicho, He has never told anyone, but he's not working. 3 han mandado, Haven't they sent you that money yet? 4 hemos recibido, We haven't received any information about them.

F 1 acaban de salir, (my friends) have just gone out 2 acaba de telefonearme, (my mother) has just phoned me 3 acabáis de cenar, you have just had dinner 4 acabamos de decidir, (we) have just decided

The preterite tense (page 39)

A 1 wrote 2 took place 3 refused 4 watched, explained 5 fined 6 went, visited, went shopping, liked, loved 7 left, arrived 8 decided, lost

B Roberto: 1 Habló con Isabel por teléfono. 2 Le invitó a ir con él a la playa. 3 Descubrió que a Isabel no le gusta el mar. 4 Llamó a Susana. 5 Dejó un mensaje con el padre de Susana. 6 No recibió ninguna respuesta de Susana. 7 Salió solo y comió muchas patatas fritas.
Vosotros: 1 cenasteis con la familia 2 leísteis los periódicos 3 comprasteis algunas cosas para la casa 4 lavasteis el coche 5 escribisteis algunos correos electrónicos
Yo … / pero ellos: 1 Yo perdí mi empleo, pero ellos ganaron diez mil euros. 2 Yo tomé una cerveza, pero ellos bebieron tres botellas de Rioja. 3 Yo vendí mi bici, pero ellos compraron un coche. 4 Yo comí en casa, pero ellos salieron con sus amigos a un restaurante. 5 Yo decidí no ir de vacaciones, pero ellos reservaron un hotel.

C Ayer el señor Martín llegó a la empresa a las ocho. Entró en su oficina, se quitó su chaqueta y se sentó. Tomó un café y sacó sus papeles. Trabajó (durante) dos horas, preparándose para una reunión importante. A las diez, sus invitados llegaron. Les ofreció café y todo el mundo se congregó en la sala de reuniones. Pasaron tres horas discutiendo de ventas y de marketing. Finalmente todos firmaron un contrato. Después, salieron y tomaron un buen almuerzo. El señor Martín no volvió a la oficina ayer por la tarde.

D 1 hicieron, fuimos 2 dio, pusieron 3 supe, dije 4 vinieron, trajeron

E 1 Busqué ese mapa pero no lo encontré. 2 Prefirieron las bicis más caras pero eligieron las más baratas. 3 Ayer Margarita se divirtió — condujo a la playa y leyó toda una novela. 4 Yo pagué nuestra cena porque la carta de crédito de Esteban no funcionó; se sintió muy incómodo, porque el camarero se rió.

F 1 fui 2 me alojé 3 estuvieron 4 tuve 5 se rieron 6 corrigieron 7 visitamos 8 entendí 9 repitió 10 gustaron 11 hicimos 12 fuimos 13 condujo 14 dio 15 busqué 16 encontré 17 puse 18 regalé 19 dijo

The imperfect tense (page 41)

A 1 vivíais, Where did you live? 2 teníais, How many children did you have? 3 Trabajabais, Did you both work? 4 ganaba, How much did a typical worker earn in those days? 5 ibais, Where did you go on holiday? 6 hacíais, What did you do to relax? 7 comíais, Did you eat the same food as nowadays? 8 Estábais, Were you happy?

B

1	comprábamos	compraba	I bought (was buying, used to buy)
2	jugábamos	jugaba	I played (was playing, used to play)
3	lavábamos	lavaba	I washed (was washing, used to wash)
4	bebíamos	bebía	I drank (was drinking, used to drink)
5	veíamos	veía	I saw (was seeing, used to see)
6	traíamos	traía	I brought (was bringing, used to bring)
7	conducíamos	conducía	I drove (was driving, used to drive)
8	escribíamos	escribía	I wrote (was writing, used to write)
9	salíamos	salía	I left (was leaving, used to leave)

C 1 d 2 j 3 g 4 c 5 a 6 h 7 f 8 e 9 i 10 b

D 1 sabía 2 hacías 3 venía 4 creíamos 5 teníais 6 tomaban

E 1 íbamos 2 era 3 iba 4 era 5 era 6 erais, ibais

F 1 comía 2 elegía/comía 3 tomaba 4 fumaba/bebía 5 hacía 6 bebía/tomaba 7 dormía 8 era

G 1 La abuela habla: estaba, iban, tenía, trabajaban, lavaban, limpiaban, cocinaban
2 Los padres hablan: éramos, jugábamos, dábamos, teníamos, hacíamos, tomábamos, salíamos, vivíamos, comíamos
3 El joven habla: comía, me interesaba, pasaba, me acostaba, iba, bebía, fumaba, estaba, me sentía

The imperfect continuous (page 43)

A 1 estaba comiendo 2 estaba escuchando 3 estaba escribiendo 4 estaban navegando 5 estaba bailando 6 estaba bebiendo 7 estaban jugando 8 estaba hablando 9 estaba fumando 10 estábamos estudiando

B 1 Estaba leyendo 2 Estábamos durmiendo 3 Estaba conduciendo 4 Estabas escuchando 5 Estaba hablando 6 Estabais viendo 7 Estaban preparando 8 Estaba haciendo

C 1 He was waking up when the rain started. 2 He was having a bath when the storm started. 3 He was shaving when the lightning started. 4 An hour later, the wind was dying down as he left the house. 5 Estaba levantándome cuando el teléfono sonó. 6 Estaba duchándome cuando llegaste. 7 Estaba vistiéndome cuando el teléfono sonó otra vez. 8 Estaba poniéndome furioso pero tú contestaste.

D 1 Cuando alguien rompió la ventana, Raimundo estaba jugando al vóleibol. 2 Cuando alguien se llevó mi bici, Raimundo estaba paseando al perro en el parque. 3 Cuando el matón atracó a la señora, Raimundo estaba viendo la televisión con su novia. 4 Cuando el ladrón entró en la tienda de ordenadores, Raimundo estaba bebiendo una cerveza en el bar. 5 Cuando alguien se llevó la radio de mi coche, Raimundo estaba haciendo sus compras en el supermercado.

Using contrasting past tenses (page 44)

A 1 I 2 P 3 I 4 I 5 P 6 I 7 P

B 1 Nació 2 murió 3 vivía 4 empezó 5 gustaba 6 cambió, encontró 7 eran 8 estaba, terminó, tenía 9 Dejó, fue 10 Empezó 11 trabajó 12 estaba viviendo, conoció 13 era, trabajaba 14 era, gustó 15 salían 16 Iban, daban, bailaban, iban 17 se casaron 18 vivieron 19 decidieron, estaba 20 tuvieron, estaban

C 1 ¿Has visto mi libro? Lo estaba leyendo cuando entraste. 2 Trabajaba en Madrid pero vivía en Salamanca – ¡estaba loca! 3 Carmen llamó otra vez. ¿Le has enviado esos documentos? No, lo siento, no los he enviado. Estaba preparándolos cuando un invitado llegó, y después me olvidé de ellos. 4 El perro estaba cruzando la calle cuando el ciclista salió de otra calle. La bici golpeó al perro y el ciclista se cayó. El pobre ciclista se ha roto la muñeca pero el perro está bien. 5 Cuando estaba conduciendo de Casares a Estepona, mi coche se estropeó. Llamé al garaje pero estaba cerrado. Hacía mucho calor, así que me dormí. Cuando me desperté, eran las tres. Llamé otra vez al garaje, y un camión llegó después de media hora. El conductor me dio una bebida porque tenía mucha sed y no tenía agua.

The pluperfect tense (page 45)

A 1 g 2 d 3 e 4 b 5 a 6 c 7 f

B 1 Elena didn't pass her maths exam because she <u>had not revised</u>. 2 She wrote a good essay in English because she <u>had learned</u> lots of vocabulary. 3 She was very cold because she <u>hadn't put on</u> her coat. 4 She arrived late because she <u>had missed</u> the bus. 5 She didn't take part in the PE class because she <u>had forgotten</u> her trainers. 6 Señora Ramón told her off because she <u>had not finished</u> her homework. 7 She argued with Carla because Carla <u>had not phoned</u> her as she promised. 8 She had no money left to pay for her lunch because she <u>had spent</u> it all on chocolate.

C Antes de salir … Michaela había llevado al perro a la casa de su madre; Julia había dado a los vecinos el número de nuestro teléfono móvil; Selina y Michaela habían hecho las maletas; yo había visto al médico porque me faltaban comprimidos; y Marco había comprado unos bocadillos para el viaje.

D 1 El jefe le gritó a Francisca porque por la mañana había perdido unos documentos importantes. 2 El lunes, los ordenadores estaban estropeados porque los ingenieros no habían hecho su trabajo el fin de semana. 3 Durante toda la semana los clientes no podían contactar al jefe de marketing, porque se le había olvidado su teléfono móvil en el tren. 4 El señor Ramírez no participó en la reunión porque se había dormido en su oficina. 5 No podían oír lo que decía el jefe porque el micrófono se había roto.

E 1 Nunca habíamos ido a España. 2 Nuestros amigos no se habían levantado cuando llegamos. 3 Nadie había limpiado la casa. 4 Ni el marido ni su mujer habían leído mi carta. 5 La había enviado la semana anterior. 6 Se habían olvidado de la fecha de nuestra llegada.

Direct and indirect speech (page 46)

A 1 'La policía ha llegado.' 2 'Entran en la casa.' 3 'Ahora salen con un hombre.' 4 'Hay también una mujer.' 5 'La mujer parece muy nerviosa.' 6 'El hombre parece totalmente loco – grita y gesticula.' 7 'La policía se ha llevado al hombre y a la mujer y todo el mundo vuelve a su casa.'

B 1 Dice que ha hecho sus maletas y que va a salir. 2 Dice que tiene dos maletas enormes. 3 Dice que va a llamar un taxi para ir a la estación. 4 Dice que piensa comprarse un bocadillo en el tren. 5 Dice que no es necesario darle nada de comer. 6 Dice que espera llegar a las dos. 7 Dice que tiene su móvil consigo – va a darme el número.

C 1 Me pregunta que dónde está nuestra casa. 2 Me pregunta que si estamos lejos de la estación. 3 Pregunta que si puedo venir a buscarle en la estación. 4 Me pregunta que qué tipo de coche tengo. 5 Pregunta que si puedo llamarle si hay algún problema.

D 1 'No quiero verla más.' 2 'Nunca voy a volver.' 3 'Mi vida comienza de nuevo.' 4 '¿Esta noticia te interesa?' 5 'Salgo con tu amigo Federico desde el año pasado, así que no me importa mucho.'

E Alicia: 1 Dice que decidió dejar su trabajo. 2 Dice que quería pasar más tiempo con su hijo. 3 Dice que también prefería tener un programa menos rígido. 4 Dice que Alejandro y ella estaban preocupados porque el niño no estaba muy robusto. 5 Dice que está muy contenta con su decisión.

Bárbara: 6 'Tuve que volver al trabajo por razones económicas.' 7 'Encontré a una muy buena niñera.' 8 'Volví al trabajo seis meses después del nacimiento de mi hijo.' 9 'No quería quedarme en casa.' 10 'No me arrepiento de haber mantenido mi independencia.'

F Dijeron que …
… habían llegado a Gerona el lunes y habían hecho algunas visitas. El jefe de la empresa les había invitado a hacer una visita a la fábrica, lo cual habían hecho el jueves. Habían hablado con algunos empleados. También habían participado en algunas reuniones y habían firmado un contrato. Por la tarde habían salido con el jefe y su mujer – habían ido al teatro y después habían comido en un restaurante.

G 1 Le había gustado la visita. 2 Nunca había ido a Barcelona. 3 Siempre había querido ver la ciudad. 4 La gente había sido muy simpática. 5 Había visitado la Sagrada Familia dos veces. 6 Siempre había admirado la obra de Gaudí.

The immediate future (page 48)

A 1 ¡Voy a viajar por el mundo! 2 Guillermo va a aprender a conducir. 3 Lorenzo va a ir a la universidad de Salamanca. 4 Luisa va a hacerse abogada. 5 ¿Vais a casaros? 6 Consuelo y Mercedes van a visitar a sus padres en México. 7 ¿Vas a buscar un empleo en Madrid? 8 Vamos a trabajar en un supermercado.

B 1 Tomás va a pedir a Isabel de salir con él. 2 Ella va a decirle que no, a mi ver. 3 No sé – me dice que va a enviarle flores … 4 ¡Una pérdida de tiempo! ¡No va nunca a salir con él! 5 Voy a preguntarle si Tomás le gusta o no. 6 ¿Por qué vas a hacer eso? 7 Porque, si dice que no, ¡yo voy a salir con él!

The future tense (page 48)

A 1 Compraré 2 ganará 3 estudiará, trabajará 4 Vivirás, encontraré
5 se casarán 6 Volveréis, os quedaréis

B 1 Tendremos dos hijos. 2 Saldrá a las diez. 3 Sabremos los
resultados a medianoche. 4 Podréis ver las estrellas. 5 ¡Me darán
ese contrato! 6 Me dirás las noticias. 7 Hará la misma ensalada de
frutas como siempre. 8 Vendré a Madrid la próxima semana.
9 Podrán visitar la catedral. 10 Tendrá dos coches y una bici.

C Acuario: recibirá, encontrará, dará; Piscis: tendrá, cogerá, podrá,
necesitará; Aries: traerá, ofrecerá, tendrá; Tauro: será, verá,
conocerá, gastará; Géminis: deberá, se sentirá, faltará, verá, dirá;
Cáncer: dejará, se sentirá, intentará, contestará; Leo: preocupará,
hará, sabrá, pensará, tomará; Virgo: será, mostrará, comenzará,
hará; Libra: estará, comprenderá, ayudará, descubrirá; Escorpio:
preocuparán, ganará, gastará, terminará, deberá

Revision: the main tenses of verbs (page 49)

A 1 juegan 2 duermes 3 pienso 4 pedimos 5 quieren 6 corregís
7 juego 8 pueden 9 vuelve 10 entiende 11 encuentras 12 llueve
13 sienten 14 prefiero 15 muestra

B 1 sé 2 dices 3 salgo 4 vamos 5 estoy 6 oye 7 pongo 8 tienen
9 viene 10 dice 11 vas 12 tengo 13 son 14 hago 15 es

C 1 son 2 está 3 Son, es 4 están 5 Es, ser 6 estaba 7 estaba 8 estaba,
fue 9 estaba, era 10 han sido

D 1 Nunca he visitado Londres/No he visitado nunca Londres.
2 Nadie te ha dejado un/ningún mensaje. 3 No vi a nadie en el bar.
4 No les gusta ninguna de esas personas. 5 No llama jamás/nunca a
su madre – no le llamó siquiera en su cumpleaños. 6 No tengo
nada que decir a ellos.

E 1 ha visto, Enrique hasn't seen her today. 2 habéis levantado, Girls,
haven't you got up yet? 3 han dicho, he dicho, They've told me the
news but I haven't told her. 4 he hecho, ha puesto, I've packed the
cases and Pablo has put them in the car. 5 has venido, me he
duchado, me he vestido, Why have you come so early? I've had my
shower but I haven't got dressed.

F 1 ¿Qué te dieron? 2 No pude abrir la puerta, así que toqué el
timbre. 3 Leyó el periódico y le dijo las noticias. 4 Perdí mis gafas
ayer. Las busqué por todas partes y finalmente las encontré sobre
la televisión. 5 Fuimos a los Picos de Europa en mayo. Condujimos
desde San Sebastián. 6 Isabel vino a vernos la semana pasada.
¡Trajo cuatro maletas!

G 1 Estaba leyendo 2 Leía, estaba 3 trabajaba, iba 4 Estaba
conduciendo, estaba durmiendo 5 gustaba, visitábamos, estaban
escuchando

H 1 La semana pasada fue de vacaciones; había hecho sus maletas el
fin de semana. 2 Dijo que me había dicho las fechas de sus
vacaciones. 3 En realidad, ¡había decidido irse sin decírmelo!
4 Cuando llegó a la casa, no pudo entrar – había dejado sus llaves
en el restaurante. 5 Descubrió que había olvidado su tarjeta de
crédito también. 6 Llamó al restaurante – por suerte, habían
encontrado sus cosas y se las habían guardado.

I

verb	tense	translation into English
comenzaba	imperfect	was beginning
extender	infinitive	to extend
llegamos	preterite	arrived
es	present	is
se ven elevarse	present	can be seen rising
rodean	present	surround
parecen	present	appear, seem
han abatido	perfect	have descended (from)
apagar	infinitive	quench, slake
conduce	present	leads
remontando	present participle	working its way upstream
siguiendo	present participle	following
se encuentra	present	you come to, you come upon
son	present	are
se apoya	present	is supported
conduce	present	leads
ha cubierto	perfect	has covered
ha roto y carcomido	perfect	has broken and eaten away/crumbled
crecen	present	grow
suben enredándose	present	twine their way up
sirve	present	serves, acts
había adelantado	pluperfect	had gone ahead of
deteniendo	present participle	stopping
contemplaba	imperfect	contemplated (for a while)
se agolpó	preterite	crowded into
unían	imperfect	brought together

More verb forms

The conditional (page 52)

A 1 Deberían, They should give up smoking. 2 gustaría, We would
like to see them. 3 llegaría, Yesterday, he told me he would arrive
at ten. 4 compraría, In your place/If I were you, I'd buy a new car.
5 Podrias, Could you bring a litre of milk? I haven't got time to
go out. 6 viviría, Raquel told me she would never live in the city.
7 hablaría, If I were you I'd talk to her to explain everything.
8 podríais, Please, could you tell us where there's a bank?

B 1 comerías 2 iría 3 elegirían 4 beberíais 5 vendría 6 sabría 7 saldría
8 vendríais 9 deberíamos 10 harían 11 podría 12 pondrían
13 verían 14 podríamos preguntar/invitar a Pilar 15 debería
contestar

C 1 Compraría/Usaría 2 Reciclaría 3 Se ducharía 4 Tendría/Usaría
5 Usaría/Compraría 6 Iría 7 Usaría 8 tiraría 9 Comería/Compraría
10 derrocharía

D En un medio ambiente más limpio … seríamos todos más sanos.
Los problemas de tráfico desaparecerían, menos niños sufrirían de
asma, y las calles estarían menos sucias. También podríamos salvar
las especies en peligro.

9

The forms and uses of the subjunctive (present, imperfect, perfect, pluperfect) (page 53)

A 1 vengas 2 ayuden 3 esperara 4 conduzcas 5 haya muerto 6 tomara 7 llamaras 8 hayan recibido 9 diéramos 10 hubiera hecho

1 e 2 i 3 h 4 b 5 d 6 g 7 a 8 f 9 j 10 c

B 1 Pr.S. 2 Pr. S. 3 Imp.S. 4 Pr.S. 5 Perf.S. 6 Imp.S. 7 Imp.S. 8 Perf.S. 9 Imp.S. 10 Perf.S.

C 1 Pilar, I need you to do me a favour. I want you to go to the supermarket and do the shopping. 2 You must put your cigarette out – the boss doesn't let us smoke in the office. 3 I prefer you to come on Friday because on Thursday I have to work. 4 Do you want me to help you, sir? 5 The doctor has advised my sister not to work. 6 Tell him/her to send me an e-mail. 7 I'm going to ask them to make less noise. 8 It's a pity you can't come. 9 I'm surprised that you don't like Monica. 10 I doubt if he's enjoying himself in Madrid – he hates cities. 11 I need someone who knows how to drive. 12 We'll go to Barcelona so that you can see the Sagrada Familia. 13 Unless it's too cold, we'll go for a walk on the beach. 14 I want you to do your homework before we go out. 15 Unless you tell me, I can't know what the problem is.

D 1 Me sorprende que vaya a su casa. 2 Necesito que traéis vuestro coche – el nuestro se ha estropeado. 3 No creo que quiera invitarla – no creo que la vea hoy en día. 4 ¡Quiero que sepas que no estoy contento de que tengas todavía este problema! Te aconsejo que veas a un médico. 5 No quiero que salga con ellos. ¡Prefiero que venga conmigo! 6 ¿Quiere que haga eso para Vd., señora? Dudo que Vd. pueda hacerlo sola. 7 Espero que no venga. No puedo hablar con ella sin que se ponga furiosa.

E 1 hablaras 2 comiéramos 3 ayudara 4 dejara 5 pudiera 6 diéramos 7 estuvieras 8 hiciera

1 I hoped you would talk to her before you left. 2 They wanted us to eat with them but we had to leave. 3 I asked him to help me with that work but he didn't want to (do it). 4 The doctor advised him/her to give up smoking but he/she didn't pay any attention. 5 I was looking for someone who could play tennis with me. 6 He/she asked us to give him her phone number. 7 We just wanted you to be happy! 8 If only the weather was good!

F 1 hayan llegado 2 haya encontrado 3 hayáis recibido 4 hayas dicho 5 haya hecho

G 1 He didn't admit that he had seen Esmeralda. 2 Pilar could not believe that Enrique had left. 3 We hoped they had understood. 4 It wasn't true that we had forgotten you. 5 If they hadn't given me that money, I'd have serious problems.

Using the subjunctive (pages 55–57)

A 1 a 2 c 3 b 4 c 5 d (x2) 6 b 7 d 8 b 9 a 10 c

B 1 no 2 no 3 yes 4 yes 5 no 6 yes 7 no 8 yes 9 no 10 yes 11 no 12 no

C 1 present, perfect subjunctive 2 preterite, imperfect subjunctive 3 perfect, infinitive 4 imperfect, imperfect subjunctive 5 preterite, pluperfect subjunctive 6 preterite, infinitive 7 present, present subjunctive 8 imperfect, pluperfect subjunctive

D 1 b) Quiero que hagáis algo para mí. 2 a) Espero que no le hayan oído. 3 b) Me pidieron que trajera mis fotografías. 4 b) Me prohibió hablar. 5 b) No esperaba que me llamaras. 6 a) No creyeron que hubieras llegado a las diez de la noche.

E 1 ¡Me sorprende que creáis eso! 2 Es una lástima que su gato haya muerto. 3 Tengo miedo de que no vuelva jamás/nunca. 4 Estaba contento de que la hubieran invitado.

F 1 contesten 2 hubiéramos salido 3 quisiera 4 compre 5 se casen

G 1 sepa 2 crea 3 sepa 4 funcione, funcionen 5 haya visto, haya visto 6 tenga

1 I'm looking for someone who knows how to make empanadas. My mother has a friend who can make fantastic empanadas. 2 Have you spoken to anyone who believes that? Yes, I could give you the names of three people who believe it. 3 I have a friend who can dance the tango. Yes, but do you know anyone who can play the guitar? 4 I need a computer that works without any problems. Are you crazy? There's no such thing as a computer that works without any problems./There are no computers that work without any problems. 5 Is there anyone here who's seen my dog? Sorry? I'm looking for a little black dog with white ears. Sorry, no-one here has seen any dog. 6 I want a flat with a view of the park. Of course, madam. We have two flats with wonderful views of the park …

H 1 c 2 e 3 a 4 d 5 b 6 f

I 1 vengas 2 lleguen 3 llamen 4 intente 5 digas

Constructions with *si* (page 58)

A 1 If you don't want to come, you don't have to come. 2 If Bernardo doesn't want to talk to her, it's not necessary. 3 If you don't like (the) meat, don't eat it. 4 If you want to see me, come to Madrid! 5 If it was sunny, we used to spend the weekend in the garden. 6 If you hope to get a pay rise, you have to work harder. 7 If the train arrived on time, I used to have ten minutes to have a coffee before going to the office. 8 If we're ready, let's go!

B 1 d 2 b 3 e 4 a 5 c

C 1 preterite, imperfect; They asked me if I liked the city. 2 immediate future, future; I'm going to ask them whether they'll be on holiday in August. 3 present (imperative), immediate future; When you ring Maria, find out if she's going to come on Sunday. 4 preterite, conditional; Did you ask the receptionist if you could go in? 5 perfect, immediate future; He didn't tell me whether he's going to work here.

D 1 Me preguntó si había probado la fabada. 2 Martina va a preguntar a Javier si quiere acompañarla a la disco/ir a la disco con ella. 3 Le escribí para preguntarle si la vería en la fiesta. 4 Quiero averiguar si han llegado. 5 Me preguntaron si me gustaría comer con ellos. 6 Le preguntamos si le había gustado la película. 7 Pregúntale si ha visto mis llaves. 8 Dime si quieres vernos el fin de semana. 9 Pregúntales si quieren beber algo. 10 Averigua si se ha despertado.

E 1 g imperfect subjunctive, conditional 2 d present, future 3 a present, future 4 e imperfect subjunctive, conditional 5 c imperfect subjunctive, conditional 6 f imperfect subjunctive, conditional 7 h present, future 8 b imperfect subjunctive, conditional

F 1 salúdale 2 olvidarías 3 salgo 4 harías 5 compraríamos 6 ganara 7 recibe 8 pasarías 9 quieres 10 fueran, irían

G 1 Si viviera en el campo …
tendría dos perros y un gato.
cultivaría legumbres y frutas.
daría un paseo cada mañana.
oiría a los pájaros – ¡y los tractores!
necesitaría un coche para hacer las compras.

2 Si viviéramos en la ciudad …
visitaríamos los museos y las galerías.
iríamos al cine cada semana.
encontraríamos a nuestros amigos en un bar todas las tardes.
pagaríamos mucho para aparcar el coche.
no nos disfrutaríamos ni de aire puro ni de un medio ambiente tranquilo.

3 Si vivieras cerca del mar …
verías a muchos turistas.
podrías escuchar las olas sobre la playa.
¿aprenderías a pescar?
¿te bañarías todos los días?
tus padres vendrían a verte en verano.

H Completion of sentences depends on students' personal choices.
1 Si me tocara la lotería, compraría … 2 Si a mi amigo/a le tocara la lotería, … 3 Si fuera ministro/a de educación, los estudiantes … 4 Si fuera ministro/a del medio ambiente, el Reino Unido tendría … 5 Si fuera ministro/a de transportes, los conductores tendrían que … 6 Si fuera ministro/a de defensa, … 7 Si fuera ministro/a de asuntos exteriores, … 8 Si fuera primer ministro/primera ministra, …

The imperative (page 60)

A 1 Come in. (tú) 2 Repeat what you hear. (vosotros) 3 Open the file. (tú) 4 Save your work. (vosotros) 5 Let's visit Argentina! (nosotros) 6 Remember these numbers. (tú) 7 Let's say no – because we don't want to. (nosotros) 8 Listen to this music. (tú) 9 Take the first street on the left. (Vds.) 10 Try this wine – it's great! (vosotros)

B 1 Di a tu hermana que la película empieza. 2 Paco, ¡haz tus deberes antes de escuchar esa música! 3 Ven a las ocho y tomaremos una copa. 4 Hace frío – ¡ponte tu chaqueta! 5 Si vas a Madrid, ve primero a la Plaza Mayor.

C 1 Give me those books! 2 Sit down! 3 Be quiet! 4 Did you hear the question? Well, answer it! 5 Listen to the recording. 6 Dame esos bolis. 7 ¡Levántate! 8 ¡Pórtate bien! 9 ¿Has comprendido el problema? Bueno, ¡dime la solución! 10 Mira la pantalla.
11 Escondamos 12 Tiremos 13 Sentémonos 14 demos 15 pongamos

D 1 tomen 2 siéntense 3 escuchen 4 Vengan 5 prueben

E

	hablar	levantarse	comer	repetir
tú	habla	levántate	come	repite
Vd.	hable	levántese	coma	repita
nosotros	hablemos	levantémonos	comamos	repitamos
vosotros	hablad	levantaos	comed	repetid
Vds.	hablen	levántense	coman	repitan

F

	hablar	levantarse	comer	repetir
tú	no hables	no te levantes	no comas	no repitas
Vd.	no hable	no se levante	no coma	no repita
nosotros	no hablemos	no nos levantemos	no comamos	no repitamos
vosotros	no habléis	no os levantéis	no comáis	no repetáis
Vds.	no hablen	no se levanten	no coman	no repitan

G 1 tú, Olvídame. 2 tú, Ven antes de las ocho. 3 Vds., Siéntense allí, señoras. 4 vosotros, Levantaos, por favor. 5 nosotros, Vamos a la playa. 6 tú, Escríbeme. 7 vosotros, Comed esos bocadillos. 8 Vds., Aparquen aquí. 9 nosotros, Salgamos hoy. 10 vosotros, Jugad en el parque.

H 1 No te olvides de traer tu música contigo. 2 No se siente en esa silla – está rota. 3 ¡No se preocupen, señoras! 4 ¡No comáis esas gambas, niños! 5 No vayamos al colegio mañana. 6 ¡No permitáis a vuestro perro entrar en mi jardín, por favor! 7 No prendas la televisión antes de terminar tus deberes. 8 No nos preocupemos sobre eso. 9 Entren aquí, señores. 10 ¡No dejes el cuarto de baño así, Mercedes!

I 1 Don't lean out of the window. 2 Add the sugar and the flour. 3 No parking here, please. 4 Keep to the right. 5 Peel the apples and chop them. 6 Attach part A to part B with nails C. 7 Don't make a noise after 11 p.m. 8 Follow the blue arrows. 9 Place in boiling water for five minutes. 10 Keep in a cool dry place.

The passive and how to avoid it (pages 62–63)

A 1 3 4 5 7 8

B

phrase	tense	gender and number
son muy influidos	present	M. pl.
son dedicadas	present	F. pl.
es vista	present	F. sing.
son transmitidos	present	M. pl
fueron hechos	preterite	M. pl.
son bombardeados	present	M. pl.
me veo obligado	present	M. sing.

C 1 The young <u>are</u> very <u>influenced</u> by television. 2 Reality shows are very popular. 3 Why are so many hours <u>dedicated</u> to such a passive and antisocial pastime? 4 In my opinion, too much violence <u>is seen</u> in programmes that <u>are broadcast</u> early in the evening. 5 The great discoveries of history <u>weren't made</u> in the era of television! 6 One can't underestimate the educational role of the media. 7 Young people <u>are</u> continually <u>bombarded</u> with adverts. 8 I <u>am forced</u> to conclude that the influence of television on young people is not very positive.

D 1 g 2 f 3 b 4 d 5 h 6 a 7 e 8 c
rodear, seguir, temer, tentar

E 1 Our life <u>is</u> increasingly <u>influenced</u> by the Internet. 2 Personally, I know that too much of my time <u>is wasted</u> surfing the Internet. 3 The difficulty is that Internet surfers <u>are surrounded</u> by interesting possibilities! 4 Each link <u>is followed</u> by many others. 5 One problem is that we <u>are</u> all <u>tempted</u> to spend too much time and money. 6 Another more serious problem is surveillance, which <u>is</u> greatly <u>feared</u> by defenders of civil rights. 7 But the most serious problem of the Internet is that children can <u>be endangered</u> by the wrong sites and contacts. 8 I'm forced to say that the Internet <u>will</u> never <u>be loved</u> by everyone.

F 1 Un artículo polémico fue escrito por Marco Martínez. 2 Las fotos fueron hechas por su colega Guillermo González. 3 En el artículo una política muy importante es criticada. 4 Esta señora es acusada de aprovecharse de su puesto para hacerse rica. 5 Continuamente es vista en restaurantes muy exclusivos, acompañada de hombres de negocios. 6 Según Martínez, unos contratos importantes fueron dados a estos mismos hombres de negocios por el gobierno. 7 En algunas de las fotos es vista charlando y bebiendo con personas famosas. 8 Nuestras preguntas son ignoradas por la política.

G 1 se habla inglés 2 lo encontró 3 Fabrican 4 Alguien me dijo 5 se conserva
1 English is spoken here. 2 The secret document was found in the street by a pedestrian. 3 These shoes are made in Mexico. 4 I was told that you had arrived. 5 The coffee is kept in the fridge.

H 1 Aquí **se** hablan español y francés. 2 Se vio **al** ladrón saliendo de la casa. 3 Se cree **que** ha muerto. 4 Se **venden** tomates muy baratos aquí. 5 Se la **acusó** del robo. 6 Se **sabe** que no es la responsable. 7 Se **la** entrevistó por la televisión. 8 **Se** dice que comer demasiada carne no es sano.

I 1 These toys are made in China. 2 All documents are sent by courier. 3 All the food is kept in the fridge. 4 Maribel was asked if she had any sharp objects in her case. 5 Nos han dicho que viene mañana. 6 Les han acusado de robar el ordenador del jefe. 7 Publicaron su libro la semana pasada. 8 ¡Cada año los pájaros comen todas nuestras cerezas!

Infinitive constructions (pages 64–65)

A 1 desear – to wish, want 2 esperar – to hope 3 gustar (a) – to like, enjoy 4 preferir – to prefer 5 ofrecer – to offer 6 querer – to want 7 decidir – to decide 8 dejar – to allow, let 9 intentar – to try, intend 10 pensar – to think about, consider 11 permitir – to allow, permit 12 saber – to know how to 13 poder – to be able to 14 lograr – to succeed in, manage to 15 necesitar – to need to 16 deber – to have to

B 1 <u>han decidido</u> **pasar** 2 <u>gusta</u> **relajarse** 3 <u>Prefieren</u> **encontrar** 4 <u>Piensan</u> **ir** 5 <u>Han ofrecido</u> **llevar** 6 <u>quiere</u> **irse** 7 <u>desea</u> **aprobar**, <u>debe</u> **estudiar** 8 <u>podrá</u> **descansar**

C 1 Ella necesita comprar un nuevo teléfono móvil. 2 Mi amigo sabe hablar portugués. 3 ¿Vosotros habéis logrado terminar los vuestros? 4 ¡Y tú no pudiste venir porque estabas demasiado ocupada! 5 Nosotros queremos ver la exposición de Dalí. 6 A mi padre le gusta ver las películas americanas. 7 ¡Nosotros preferimos comer en un restaurante! 8 El profesor debería escuchar a los estudiantes también. 9 Nosotros intentamos contactar con un médico. 10 ¿Por qué tú no te haces traductora?

D 1 We have to get a doctor to come. 2 You should have your car repaired. 3 Is it possible to make those children shut up? 4 We're going to have a new kitchen put in. 5 We have the house painted every three years.

E 1 c 2 f 3 h 4 e 5 d 6 a 7 g 8 b

F 1 Tenemos que telefonearle antes de las nueve. 2 Cuando llegó al hotel, tuvo que rellenar un formulario. 3 Generalmente hay que mostrar el pasaporte a la recepcionista también. 4 ¿Tendréis que tomar un taxi en el aeropuerto? 5 Si queremos llegar a Sevilla antes de las seis, ¡tenemos que salir ahora mismo! 6 Tuvimos que cancelar la reunión porque el jefe no había llegado. 7 Es diabético, así que tiene que inyectarse cada día. 8 Para llegar al cine, hay que tomar el bus.

G 1 dejar de 2 tengo miedo de 3 me canso de 4 ha persuadido/persuadió a 5 aprende a 6 prepararse 7 vuelto a 8 se había olvidado de 9 he empezado a/comenzado a 10 enseñar

H 1 No tengo ganas de ir/No quiero ir a ese restaurante porque tengo miedo de encontrarlo allí. 2 Tratamos de entrar pero la puerta estaba cerrrada con llave. 3 Nos han invitado a visitarles en su nueva casa. 4 Blanca tiene ganas de hablar/quiere hablar contigo. 5 Le ayudé a terminar sus deberes. 6 El trabajo es fácil – consiste en contestar el teléfono y darles la bienvenida a los clientes. 7 Dejó de fumar hace dos años. ¡Lo triste es que ha vuelto a fumar hace dos semanas! 8 Tenía ganas de/Quería llamar a sus padres porque se había olvidado de darles el número de su móvil.

Verbs that require different constructions in Spanish (pages 66–67)

A 1 After having heard all this really bad news, I felt very depressed. 2 Don't you remember seeing her? 3 Ignacio must have left without the others. 4 On arriving home, he found that someone had stolen his car. 5 It's eleven o'clock – Daniela must have arrived in Santiago. 6 After having spent three hours getting dinner ready, we had a glass of wine. 7 On finishing my work each day, I'm always very tired.

B 1 haber trabajado 2 llegar 3 haber descubierto 4 conocer 5 haber bailado

C 1 d, rogamos 2 b, pidió 3 f, pediré 4 a, preguntó 5 c ruega 6 e, habían pedido

D 1 sacó 2 lleve 3 tomaba 4 voy a sacar/tomar 5 va a tomar/coger

E 1 se hizó enfermera 2 se ha convertido en la más grande de nuestro pueblo 3 llegó a ser director 4 se estaba haciendo tarde 5 Voy a hacerme profesor(a)

F 1 pensamos ir 2 No creo que coma carne 3 me gusta sentarme en la playa y pensar 4 Marco cree que, tendré que pensarlo 5 Piensa hacerse dentista, no creo en realidad que pueda hacerlo

Time constructions (page 67)

A 1 El e-mail de Clementina
Acabo de conocer a un chico muy amable. Voy a hablarte de él. **Vive** (pres.) aquí <u>desde hace</u> tres meses, y **está trabajando** (pres. cont.) en nuestra oficina <u>desde hace</u> seis semanas. Es francés, pero **vive** (pres.) en España <u>desde hace</u> diez años y habla perfectamente español. Lo **conozco** (pres.) <u>desde</u> solamente una semana y ¡creo que me estoy enamorando de él! <u>Desde que</u> **trabaja** (pres.) con nosotros, hemos salido algunas veces.

2 Los recuerdos de Miguel
Cuando encontré a Ana en 2002, ella **trabajaba** (imperf.) en Madrid <u>desde hacía</u> dos años. <u>Desde que</u> **estaba** (imperf.) en Madrid, le resultaba difícil hacer amigos, porque era muy tímida. Yo **vivía** (imperf.) allí <u>desde hacía</u> muchos años y tenía algunos amigos. Se la presenté a ellos. **Estaba saliendo** (imperf. cont.) con Ana <u>desde hacía</u> seis meses cuando decidí que quería casarme con ella. Lo triste fue, que descubrí que ella **salía** (imperf.) con uno de estos famosos amigos <u>desde hacía</u> algunas semanas.

B I haven't visited London for some weeks. I worked in the capital for three years and I didn't like it. I was living in a tiny flat for two years, and then I lived in a friend's house. She let me rent a room for a year but everything was very expensive. Finally I left the city last December and I don't intend going back for many years.

Revision: more verb forms (pages 68–69)

A 1 Ignacio compraría un Ferrari. 2 Mónica y Felicia viajarían por el mundo. 3 Nosotros visitaríamos Nueva York. 4 Tú buscarías un nuevo piso. 5 Ella elegiría mucha ropa nueva. 6 Vosotros haríais instalar una nueva cocina. 7 Vds. tendrían una casa en la ciudad y otra en el campo. 8 Yo no cambiaría nada.

B 1 f 2 b 3 g 4 c 5 d 6 h 7 a 8 e

C 1 dejes 2 llame 3 ayudara 4 vengas 5 se haya muerto 6 salgáis 7 den 8 conozcas

D 1 Espero que encuentres un nuevo empleo. 2 Me sorprende que no le hayas dejado. 3 Señoras, estamos contentos de que hayan decidido visitar nuestra ciudad. 4 No es probable que el tren llegue antes de las diez. 5 No creo que vaya a terminar el trabajo antes de julio. 6 No fue verdad que les hubiera hablado de vuestros problemas. 7 Nunca estaba seguro que me quisiera de verdad. 8 Tengo miedo de que haya tenido un accidente.

E 1 toma 2 te olvides 3 doblen 4 callaos 5 apague 6 no comáis 7 escúchame 8 dígale

F 1 The most delicious cakes are sold in that cake shop. 2 English is spoken here. 3 Programmes like this should not be shown before nine o'clock. 4 The most elegant shoes are made in Italy. 5 The victim was found in the river. 6 The candidates were interviewed on Thursday. 7 She was seen in the supermarket.

G 1 Se venden carne, queso, ropa y frutas en el mercado. 2 Se vieron a los chicos en ese bar. 3 Se habla español en muchas partes del mundo. 4 El dinero lo encontró un niño. 5 Se teme que haya desaparecido. 6 Se cree que el ministro debe renunciar.

H 1 aprender a 2 esperar – 3 preferir – 4 prepararse – 5 ofrecer – 6 consentir en 7 dejar de 8 volver a 9 poder – 10 pensar – 11 comenzar/empezar a 12 deber – 13 tener miedo de 14 saber –

I 1 Having worked with her, I was sure she would not let me down. 2 When we arrived at the restaurant we looked for our friends. 3 After interviewing her, I asked her to start work in May. 4 When we arrived at the hotel, they requested us to fill in a form. 5 Let's have a drink and then get the bus to go into the centre; we can take the dog with us. 6 He's going to become an engineer, but his mother wants him to become a doctor like his father.

J 1 desde 2 vivir 3 antes 4 hermano 5 estudia 6 dos 7 vive 8 trabajó 9 durante 10 está 11 hecho 12 en

Additional grammar for A2

The future perfect (page 70)

A Antes del fin del año … 1 habrás cambiado 2 se habrán casado 3 habrá terminado 4 habréis tenido 5 habrán vendido 6 habremos hecho pintar 7 habré aprobado 8 habrá cambiado

B 1 termines 2 pierda 3 lleguen, habrán comido 4 habrá comprado 5 ahorren

C 1 Habrá comprendido mal. 2 Habrán aprendido mucho de esa experiencia. 3 Habrás terminado esa tarea hasta mañana, ¿no? 4 Habrá sido sorprendido. 5 ¿Qué dices? Habrás bebido demasiado.

Conditional perfect (page 70)

A 1 <u>habría salido</u> 2 **hubiera salido** 3 <u>habrías visto</u> 4 **hubieras visto** 5 <u>habrían llamado</u> 6 **hubieran llamado**

B 1 Si los padres de Guillermo se hubieran interesado más por su hijo, se habrían dado cuenta que tenía amigos violentos. 2 Si Guillermo hubiera estudiado más en el colegio, habría ido a la universidad. 3 Si no hubiera visto tantas películas violentas, no habría tenido tantas ideas románticas sobre la violencia. 4 Si hubiera logrado encontrar trabajo, habría sido más motivado.

C 1 habría hablado 2 habría puesto 3 habrían abierto 4 habrías dicho 5 habríamos sabido 6 habrían hecho 7 habría visto 8 habríais descubierto

The past anterior (page 71)

A 1 **vino**, <u>hubo oído</u>, As soon as he had heard the news, he came to see me. 2 **se marcharon**, <u>hubieron terminado</u>, When they had finished their work, they left the house. 3 **olvidaron**, <u>hubieron desaparecido</u>, After they had disappeared, everyone forgot them. 4 **oyeron**, <u>se hubieron acostado</u>, They had scarcely gone to bed when they heard once more the gentle laugh of a child. 5 **se escapó**, <u>hubo dejado</u>, As soon as the thief had left his usual emblem – a broken mirror – he escaped.

The passive – more forms (page 72)

A 1 perfect; We have been seen in this town from time to time. 2 present; Josefina is seen in the market every week. 3 imperfect; At one time they were seen in the casino every day. 4 preterite; Javier was seen on the beach when he should have been in school. 5 future; In my opinion, his work will not be understood before his death. 6 pluperfect; The girls had been seen in the bar the month before. 7 immediate future; The actress is going to be criticized by the papers.

The subjunctive – more uses (page 72)

A 1 No voy a salir sin terminar mi trabajo. 2 No quería hacerlo sin hablarte. 3 Compraré esa casa a condición de que/con tal que/siempre que reparen el tejado. 4 Te llamo para preguntarte cómo está tu madre. 5 ¿Podría tocar el timbre antes de entrar? 6 Salió antes de que yo llegué. 7 Ha ahorrado mucho dinero de manera que/de modo que/a fin de que/para que puedan ir de vacaciones. 8 Ha ido a Madrid para buscar un empleo.

B 1 ¡Va a seguir pidiéndoles que le ayuden hasta que consientan! 2 Aunque se lo expliqué, no lo comprendió. 3 Tan pronto como termines tu trabajo, podemos cenar. 4 Después de que empezó su nuevo trabajo, ¡no la he visto! 5 Cuando le veáis, sin duda va a preguntaros cómo estoy.

C 1 ¿Conoces a alguien que hable ruso? 2 Busco un teléfono móvil que mis abuelos puedan usar sin problemas. 3 ¿Hay alguien aquí que pueda decirme dónde está la calle Mercurio? 4 Lo siento, aquí no hay nadie que sepa dónde está esa calle. 5 Nunca hay nadie en esa tienda que pueda ayudarme.

Revision – Additional grammar for A2 (pages 73–74)

A 1 Ignacio habrá visto a sus amigos en Madrid. 2 Habremos dado un paseo en bici. 3 Elena y Luisa habrán visitado a los abuelos de Luisa. 4 Habrás visto la nueva película de Almodóvar. 5 Habré terminado mis tareas domésticas. 6 Habréis hecho las compras. 7 Habremos cenado en un restaurante. 8 Enrique y Pablo habrán vuelto de Pamplona.

B 1 vayas 2 termine 3 habremos comprado 4 lleguéis 5 habrán firmado 6 me diga

C 1 Si hubiera escuchado la pregunta, ¡habría podido contestarla! 2 Estoy seguro que si hubieras pedido dinero a tu hermano, te lo habría dado. 3 Si hubiéramos recibido su carta, no nos habríamos preocupado. 4 Si la hubieran visto, me lo habrían dicho. 5 Si hubiera querido estar con nosotros, nos habría acompañado.

D Tan pronto como el viejo señor Ruíz hubo llegado a su pueblo natal, descubrió que todo era diferente. Cuando hubo terminado de mirar los nuevos edificios, decidió comer algo. Por suerte quedaba el viejo bar – despúes de que se hubo muerto el viejo Manolito, su hijo Manuel continuó con la tradición familiar. El señor Ruíz se sentó y pidió una sopa. Pidió la cuenta apenas hubo comido. En cuanto hubo pagado, se marchó.

As soon as old Sr Ruíz had arrived in his home town, he discovered that everything was different. When he had finished looking at the new buildings, he decided to eat something. Luckily the old bar was still there – after old Manolito had died, his son Manuel continued the family tradition. Sr Ruíz sat down and ordered some soup. He asked for the bill when he had scarcely finished eating. As soon as he had paid, he left.

E Answers depend on students' own choice of forms

F 1 sepas 2 termine 3 lleguen 4 regalar 5 den 6 sean 7 prometas 8 visitéis 9 estoy 10 llama

Revision of the whole book

Pages 5–17 (page 75)

A 1 un sondeo 2 los españoles 3 la comida rápida 4 un éxito 5 los jóvenes 6 las comidas 7 la mesa 8 la familia 9 una porción 10 patatas fritas 11 una fabada 12 la coca-cola 13 al vino

B 1 Esta nueva ley es importante para la economía rural de España. 2 Muchos coches viejos españoles son una fuente importante de contaminación. 3 Hacer las compras en Internet es rápido y fácil, y puede ser barato, pero es difícil saber si los artículos son de buena calidad. 4 Aparentemente el antiguo primer ministro quiso ayudar a las familias más pobres. 5 Muchos estudiantes ingleses quieren hacerse informáticos ricos. 6 Mis abuelos quieren su granja tranquila, y el tráfico en el gran ciudad es demasiado ruidoso para ellos.

C 1 Mis 2 tuyos 3 mi 4 su 5 mío 6 mi 7 su 8 mi 9 mis 10 sus 11 su 12 nuestra

D 1 ¿Cuál parte de España prefieres? ¿Esta región o el norte? 2 Los pueblos de esta región son mucho más pobres que las ciudades de aquella. 3 ¿Cuál es la razón principal de la pobreza en esta región? 4 Esta tierra es muy pobre, y ¿ves ese río? Generalmente no es así; está seco de mayo a octubre así que todas estas granjas sufren de una falta de agua. 5 ¿Qué productos cultivan los agricultores? 6 Bueno, en esta hacienda cultivamos naranjas y aguacates; en esa granja que ves en aquella colina, sólo cultivan lo que necesitan para ellos y para sus animales.

E 1 mucho más importante 2 completamente diferente 3 no muy rápido 4 bastante interesante 5 demasiado caro 6 muchas veces 7 especialmente difícil 8 realmente increíble 9 con mucho cuidado 10 totalmente imposible

Pages 18–31 (page 76)

A 1 a, de 2 desde, hasta 3 enfrente de 4 en, a, de, en 5 a, al, para 6 según, de 7 para, a, hasta, al lado del, 8 por, para, a 9 de, en, a, en, para, de 10 a, al, a

B 1 Me gusta la televisión; la veo cada tarde. 2 Pusieron el partido en la televisión ayer por la tarde. ¿Lo viste? No, no me interesan los programas de deporte – nunca los veo. 3 Y ¿las noticias? Sí, las encuentro más interesantes. **4** ¿Has enviado esa carta a tu abuela? Sí, **se la** he enviado ayer. **5** ¿Tienes tus llaves? No, **las** he perdido, estoy buscándo**las**. ¿**Las** has visto? **6** Si no te gusta la carne, déj**ala**. **7** Lorenzo, ¿has terminado tus deberes? Hay que terminar**los** antes de ver la televisión. **8** Este libro es para Maribel. Si le encuentras, ¿podrías dár**selo**?

C **1** Le vi el domingo y voy a verle otra vez hoy por la tarde. **2** ¡Mira estas flores! Mis padres me las enviaron. **3** Esteban, no has comido tu ensalada. ¡Cómetela, por favor! **4** He visto un juego de ordenador fantástico y sé que le gustaría a mi hermano. Voy a comprárselo y así yo podré prestarlo también. **5** ¿Has visto la nueva película de Antonio Banderas? Hay que verla – nos gustó mucho. **6** ¡Eso es mi bocadillo! ¡Dámelo, por favor! **7** Se la vieron ayer y le dijeron que había salido. **8** Si ve a Manuela y Gerardo, díganles que me llamen.

D **1** que **2** en la que **3** cuya **4** que **5** el cual **6** por la cual **7** donde **8** el cual **9** con quien **10** que

E **1** Hay dos mochilas rojas – ¿cuál es la tuya? Esa, la más grande. **2** ¿Cuáles fotos quieres guardar? Esta y esta – no me gustan esas. **3** ¿Cuya casa prefieres – la suya o la nuestra? La vuestra, por supuesto. **4** ¿Cuál coche es el suyo? Aquello. **5** Acabo de terminar mis tareas domésticas – ¡no voy a hacer las tuyas también! **6** ¿Cuáles vaqueros vas a comprar? Aquellos – ¡son como los tuyos! **7** Mi perro es mucho más cariñoso que el suyo – ¡hasta él prefiere el mío! **8** ¿Cuáles gafas son las tuyas? Esas.

Pages 32–37 (page 77)

A **1** viven **2** sale, se levanta **3** conocemos, vivimos, gusta **4** está durmiendo **5** visitan, Comen, toman, charlan, escuchan **6** Acabo, estoy esperando **7** Os acostais, vemos, nos acostamos **8** hablo, está trabajando, se pone, molesto

B **1** juega, puede, se siente, tiene, duelen **2** me despierto, me levanto, salgo, tengo, encuentro, voy, vienen, cierra, vuelvo, ceno, veo, toco **3** vas, voy, hago, vais, vamos, viene, pienso

C **1** *estar* because it describes location. **2** [a] *ser* because it describes an aspect of her personality; [b] *estar* because it describes a temporary state. **3** [a] *estar* because it describes location; [b] *ser* because it describes a physical characteristic; [c] as [b]; [d] *estar* because it describes location. **4** [a] *ser* because it describes a physical characteristic; [b] *estar* because it describes a temporary state; [c] and [d] as [b]; [e] *ser* because it describes a long-term characteristic; [f] *estar* because it describes location. **5** [a] *ser* because it describes a long-term characteristic; [b] as [a]; [c] *estar* because it describes a current activity and forms part of a verb in the present continuous; [d] *estar* because it describes location and/or a temporary situation.

D **1** Siempre llega temprano, ¿no? **2** Nunca como hamburguesas pero tengo que admitir que me gustan las patatas fritas. **3** Les llamo otra vez hoy por la mañana, pero nadie contesta nunca al teléfono en esa casa. **4** Cuando van de compras, él compra muchas cosas, ¡y ella no compra nada! No entra siquiera en las tiendas – no le gusta ninguna entre ellas. **5** No me quedan ningunas cervezas, ningún vino ni ningún café. ¡Nada para ofrecer a mis visitantes! Lo bueno es que nunca tengo ningunos visitantes. No tengo nadie con quien hablar – tranquilo, ¿no? **6** Ni Carlos ni José habla inglés, y yo no hablo español, así que ¡nunca tenemos nada para decirnos!

Pages 38–51 (page 78)

A **1** ha encontrado, ha puesto **2** ha dicho **3** has visto **4** has hecho, he pasado, he telefoneado, he terminado, he reservado **5** hemos vuelto **6** ha prohibido

B **1** Hice mis ejercicios. **2** El ayuntamiento construyó un nuevo parking en el centro de la ciudad. **3** No pude contactarte el jueves. **4** ¿Fuisteis a Salamanca? Sí, fuimos a la universidad para visitar a mi hermana. **5** Salimos a las ocho y volvimos a las once. **6** ¿Vendieron Vds. su casa? **7** Ana y Esteban tuvieron un hijo. **8** Cuando vino a vernos, trajo a su perro horrible. **9** El sábado comimos en un restaurante, pero el domingo mis padres vinieron a comer con nosotros en casa. **10** ¿Viajaste a Gerona en tren? No, tomé el autobús.

C **1** fumaba **2** costaban **3** fumaba **4** descubrieron **5** tomó **6** tenía **7** obligaron **8** habló **9** dijeron **10** hizo **11** preocupaban **12** representaba

D **1** Cuando entraron, estaba leyendo el periódico. **2** Cuando me llamaste, estaba bañándome. **3** Cuando llegasteis, todavía estábamos preparando la cena. **4** Cuando le vi, estaba durmiendo en el jardín. **5** Lo siento, me dijo su nombre pero no estaba escuchando.

E **1** había aprendido **2** había visto **3** había llegado **4** se había retrasado **5** habían llevado, se había escapado **6** había visto

F **1** habrá **2** irá **3** compraremos **4** veremos **5** podrán **6** inventarán **7** protegerán **8** hará **9** consumiremos **10** será

Pages 52–59 (page 80)

A **1** Me gustaría viajar en Argentina y Perú. **2** Me dijo que llegaría a las diez y media. **3** No saldría con Rafael – ¡es aburrido! **4** Yo que tú/en tu lugar, dejaría mi puesto. **5** ¿Podrías explicarle esta decisión? **6** Una persona en forma llegaría dentro de tres horas; ¡yo necesitaría cuatro horas! **7** Yo que tú/en tu lugar no vería esa película. **8** Mi madre diría que deberías ser más prudente.

B **1** ayude **2** lleguemos **3** hayas terminado **4** fumemos **5** saliera **6** hable **7** haya escuchado **8** no pudieran **9** hagas **10** haya encontrado

C (suggested answers) **1** diciera/haya dicho **2** sepas **3** vengamos/estemos/salgamos **4** lleguen **5** estuvieran **6** ayude **7** llame/ayude **8** veamos **9** salga/haya salido/esté **10** vayan/hayan ido **11** den **12** pudiera

D **1** Si la ves, dile que se ponga en contacto conmigo. **2** Si la viera, no le hablaría. **3** Si no llegan pronto, saldremos sin ellos. **4** Si llegaran a tiempo, me sorprendería mucho. **5** Si pudiera, vendría con Vds. **6** Si viviéramos en Madrid, ¡saldríamos cada noche! **7** Si me hubieras explicado tus problemas, habría tratado de ayudarte. **8** Si me hubiera escuchado, no habría encontrado estas dificultades. **9** Si ahorro bastante dinero, me cambiaré a un piso más grande, pero si me tocara la lotería, dejaría esta ciudad. **10** Si hubierais estado con nosotros el domingo, todos habríamos podido ver esa película.

Pages 60–69 (page 81)

A **1** poned **2** te olvides **3** pásamelo **4** ven, toma **5** se preocupen **6** tiren, llévenselos **7** tocad **8** vamos **9** digas **10** levantaos, duchaos

B **1** Siempre se lo ve en el bar. **2** Se les vieron en el restaurante Marina ayer. **3** La tienda del señor Martín se ha cerrado/Han cerrado la tienda del señor Martín – las frutas y las verduras se venden hoy en día en el supermercado. **4** No me gustan las películas que ponen en la televisión por la mañana. **5** Fabrican estos zapatos en España, pero fabrican toda esa ropa en Korea. **6** Han actualizado mi ordenador y ahora es mucho más rápido. **7** Se la describieron como tímida, pero ¡nunca deja de hablar! **8** No van a terminar el edificio antes del fin del año. **9** Se teme de que mucha gente haya muerto en el huracán. **10** Se dice que las mujeres hablan más que los hombres, pero ¿quién ha dicho eso?

C **1** ¿Deseáis ver nuestras fotos? **2** Espero llegar antes de la cena. **3** Le gusta jugar al tenis. **4** Ofrecieron ayudarnos pero no era necesario. **5** Prefiero viajar en tren. **6** Pensamos visitar Barcelona. **7** ¿Sabes hacer gazpacho? **8** No me dejó pagar la comida. **9** Logramos abrir la puerta. **10** ¡Hay que/Tienes que leer ese libro! **11** No pude comprender nada que dijo. **12** Hacemos reparar el coche. **13** Había que/tuvieron que vender su casa. **14** ¡Me hicieron cantar delante de toda esa gente! **15** Necesito preguntarle algo.

D **1** On arriving in Madrid they found that Michaela had left. **2** I don't remember having said that. **3** David must have received your message. **4** After seeing the film, we went to a Mexican restaurant. **5** They have asked me to go with them. **6** No smoking. **7** Don't ask me why I did that. **8** After taking some photos, they had a beer in the square. **9** Do you want me to take you to the airport? It's not necessary, I'm going to take the bus. **10** I want to become a translator. **11** This town has become an important centre. **12** I've worked for this company for ten years. **13** Julio had been living in Pamplona for three months when he met her. **14** We haven't seen her for a few days. **15** Since I've been here I've made lots of new friends.

Pages 70–74 (page 82)

A Antes del fin de semana, Hernando habrá comprado un nuevo teléfono móvil; vosotros habréis hecho pintar la casa; yo habré escrito mi artículo; tú habrás aprobado tu examen; nosotros habremos terminado nuestro proyecto; Cristina habrá elegido su nuevo coche; y Enrique e Isabel habrán vuelto de sus vacaciones.

B **1** He was not sure that he had shut the door. **2** Didn't you believe I had gone without you? **3** It seemed unlikely to me that you would have said anything about that to them. **4** I was surprised that they'd forgotten your name. **5** We were expecting/hoping that they would have understood the situation. **6** Didn't it surprise you that they had got married? **7** If they'd had enough money they would have bought a car. **8** If my sister had passed her exams she would have gone to study in Madrid. **9** If Tomás had found a job, he would have stayed in his home town. **10** You know that if I had seen you I would have said hello.

C **1** No voy a hablarle sin que se disculpe. **2** Querrán salir tan pronto que llegue. **3** Seguiré intentando hasta que tenga éxito. **4** No creo que pagaran mucho por ese ordenador. **5** ¿Conoces a alguien que hable alemán? **6** Busco alguien que pueda reparar mi coche. **7** ¡Buscamos un regalo para Marisol, pero no podemos encontrar nada que le guste! **8** Te digo esto para que puedas prepararte para sus preguntas. **9** Vendré a la fiesta con tal que/siempre que invites a Antonio. **10** A menos que todos hagamos un esfuerzo, los problemas del medio ambiente irán de mal en peor.

D **1** Van a expulsar a aquel ministro antes del fin del año. **2** A los chicos les habían advertido que no jugaran allí. **3** Se la ha visto aquí de vez en cuando. **4** Le escucharé pero no me convencirá nada que pueda decir. **5** Cuando estaba enferma, toda la familia la visitó. **6** No me dijo que se la habían entrevistado para ese puesto.

The forms and uses of the subjunctive (present, imperfect, perfect, pluperfect)

Reminder

◆ The subjunctive is rare in English (the only really common usage is 'If I **were** you') but it is very frequently needed in Spanish. Its use often shows that there is something not quite definite about the event or action referred to; it can imply wishful thinking, something that could have happened, or something hypothetical that is not proved or hasn't happened yet and may not.

Reminder

◆ To form the present subjunctive, take the *yo* form of the present tense. Remove the *-o* (or *-oy*) ending. To *-ar* verbs, add the present tense endings of *-er* verbs. To *-er* and *-ir* verbs, add the present tense endings of *-ar* verbs.

hablar	**comer**	**vivir**
hable	coma	viva
hables	comas	vivas
hable	coma	viva
hablemos	comamos	vivamos
habléis	comáis	viváis
hablen	coman	vivan

A Underline the subjunctive verbs in the following sentences. Then match them with the translations that follow.

1 Quiero que vengas conmigo. ☐
2 Les voy a pedir que me ayuden. ☐
3 Me dijeron que esperara aquí. ☐
4 Prefiero que tú conduzcas. ☐
5 Siento que su perro haya muerto. ☐
6 Mi amigo me aconsejó que tomara estos comprimidos. ☐
7 Me gustaría que me llamaras. ☐
8 Espero que hayan recibido mi mensaje. ☐
9 Felipe nos pidió que le diéramos dinero. ☐
10 No es verdad que lo haya hecho. ☐

a I'd like you to call me.
b I'd prefer you to drive.
c It's not true that he did it.
d I'm sorry your dog has died.
e I want you to come with me.
f I hope they have received my message.
g My friend advised me to take these pills.
h They told me to wait here.
i I'm going to ask them to help me.
j Felipe asked us to give him some money.

B Identify whether the verb is present subjunctive, perfect subjunctive or imperfect subjunctive in each sentence in exercise A. Write Pr.S., Perf.S. or Imp.S. for each sentence.

C Translate the following examples into English on a separate sheet.

1 Pilar, necesito que me hagas un favor. Quiero que vayas al supermercado para hacer las compras.
2 Tienes que apagar tu cigarrillo – el jefe no nos permite que fumemos en la oficina.
3 Prefiero que llegues el viernes, porque el jueves tengo que trabajar.
4 ¿Quiere que le ayude, señor?
5 El médico ha aconsejado a mi hermana que no trabaje.
6 Dígale que me envíe un e-mail.
7 Voy a pedirles que hagan menos ruido.
8 Es una lástima que no puedas venir.
9 Me sorprende que no te guste Mónica.
10 Dudo que esté divirtiéndose en Madrid – odia las ciudades.
11 Necesito alguien que sepa conducir.
12 Iremos a Barcelona para que puedas ver la Sagrada Familia.
13 A menos que haga demasiado frío, vamos a dar un paseo por la playa.
14 Quiero que hagas tus deberes antes de que salgamos.
15 Sin que me lo digas, no puedo saber cuál es el problema.

Reminder

◆ Remember that verbs which have a spelling change or irregular form in the first person singular in the present tense will have the same change in the present subjunctive.

D Use one of the following common irregular verbs to translate each of these sentences into Spanish.

decir hacer ir oír poder poner querer
saber salir tener traer venir ver

1 I'm surprised that he goes to their house.

_____

2 I need you (*vosotros*) to bring your car – ours has broken down.

_____

3 I don't think he wants to invite her – I don't believe he sees her these days.

_____

_____

4 I want you (*tú*) to know that I'm not happy that you still have this problem! I advise you to see a doctor.

_____

_____

5 I don't want him to go out with them. I prefer him to come with me!

_____

6 Would you like me to do that for you, madam? I doubt if you can do it on your own.

_____

_____

7 I hope she doesn't come – I can't talk to her without her getting furious (*ponerse furioso*).

_____

_____

Reminder

♦ To form the imperfect subjunctive, take the 'they' form of the preterite. Remove the *-ron* ending and add the endings shown (the same for all verbs). Remember that verbs which have a spelling change or irregular form in the preterite third person plural will have similar changes in the imperfect subjunctive, as shown in the example of *decir*, below.

hablar	decir
hablara	dijera
hablaras	dijeras
hablara	dijera
habláramos	dijéramos
hablarais	dijerais
hablaran	dijeran

There is another set of endings for the imperfect subjunctive, which is less common. The alternative set of endings is as follows:

hablar	decir
hablase	dijese
hablases	dijeses
hablase	dijese
hablásemos	dijésemos
hablaseis	dijeseis
hablasen	dijesen

E Complete the following sentences with the *-ra* ending imperfect subjunctive form of a suitable verb chosen from the box below. Then translate the sentences into English on a separate sheet.

1 Esperaba que [*tú*] _____ de eso con ella antes de irte.

2 Querían que [*nosotros*] _____ con ellos, pero teníamos que salir.

3 Le pidí que me _____ con ese trabajo, pero no quería hacerlo.

4 El médico le aconsejó que _____ de fumar, pero no le hizo caso.

5 Buscaba a alguien que _____ jugar al tenis conmigo.

6 Pidió que le [*nosotros*] _____ su número de teléfono.

7 ¡Sólo queríamos que [*tú*] _____ contenta!

8 ¡Ojalá _____ buen tiempo!

estar comer poder dar hablar
dejar hacer ayudar

Reminder

♦ To form the perfect subjunctive, use the present subjunctive of *haber* with the past participle. Remember to watch out for verbs that have an irregular past participle.

F Fill the gaps using the perfect subjunctive of the verbs given.

1 Nos sorprende que todavía no _____ . (*llegar*)

2 Siento que [él] _____ estos problemas. (*encontrar*)

3 Espero que [vosotros] _____ mi mensaje. (*recibir*)

4 ¡No creo que [tú] _____ eso! (*decir*)

5 Dudo que [ella] lo _____ . (*hacer*)

Reminder

◆ To form the pluperfect subjunctive, use the imperfect subjunctive of *haber* with the past participle.

	hablar	**poner**
hubiera		
hubieras		
hubiera	hablado	puesto
hubiéramos		
hubierais		
hubieran		

G Translate the following sentences into English.

1 No admitió que hubiera visto a Esmeralda.

_____

2 Pilar no pudo creer que Enrique se hubiera ido.

_____

3 Esperábamos que hubieran comprendido.

_____

4 No era verdad que te hubiéramos olvidado.

_____

5 Sin que me hubieran dado ese dinero, tendría problemas bastante graves.

_____

Using the subjunctive

Reminder

◆ As seen in the sentences in exercises A–G above, there are many situations where the subjunctive is needed. The most common of these are practised in the following exercises. Note that you also need subjunctive forms for the imperative in Spanish (see page 60 for guidance and practice).

A Can you identify the reason why the subjunctive is used in each of the following sentences? Choose from one of the following groups of reasons.

> **a** wish/hope   **b** request/advice/instruction
> **c** doubt/improbability   **d** sorrow/surprise/joy/fear

1 Espero que no pierdas tu empleo. ☐
2 Dudo que encuentres un empleo. ☐
3 ¡Te aconsejo que busques un empleo! ☐
4 No es probable que encuentren un empleo. ☐
5 Estoy muy contento de que hayas encontrado un empleo, pero es una lástima que la oficina esté tan lejos. ☐ ☐

6 ¡Dígale que busque un empleo! ☐
7 Me sorprende que no haya encontrado un empleo. ☐
8 Me pidió que le ayudara a buscar un empleo. ☐
9 Querían que su hijo tuviera un empleo. ☐
10 No es verdad que hayan dicho eso. ☐

Reminder

◆ In constructions expressing a wish or hope you do not always have to use the subjunctive. If the subject of both clauses is the same (the person's wish refers to him/herself), you can use the infinitive for the second verb.
Contrast the following pairs of sentences.
Quiero que abras mis e-mails. Subjects are *yo, tú*
Quiero abrir mis e-mails. Subjects are *yo, yo*
¿Quiere que viajemos en tren? Subjects are *Vd., nosotros*
Queremos viajar en tren. Subjects are *nosotros, nosotros*

◆ Remember that you need to insert *que* before the subjunctive, but that you do not need *que* or anything else between the verbs if you are using the infinitive.

◆ After certain verbs (notice that several of them are related to permission or prohibition) you can use the infinitive even when the subject is not the same: *permitir, dejar, prohibir, consentir, aconsejar, mandar, ordenar, rogar.*
Me ***permitió entrar*** pero me ***prohibió fumar***.
Me ***mandaron esperar*** y me ***aconséjaron leer*** este folleto.

B Decide whether or not you would need the subjunctive to translate each of the following sentences into Spanish. Note 'yes' or 'no' in each case.

1 Do you hope to go to Spain next year? _____
2 They have forbidden me to see you. _____
3 I'd like you to visit us. _____
4 I hope we shall go to Madrid. _____
5 They'd like to visit Barcelona. _____
6 They want us to go with them. _____
7 He let me park in front of their house. _____
8 I want you to do me a favour. _____
9 They want to help you. _____
10 It's a pity you've lost your dog. _____
11 I agreed to go with them. _____
12 Did you say you wanted to go into town? _____

Reminder

◆ Which tense of the subjunctive to use depends on the tense of the main verb.

The present subjunctive usually appears after a main verb in the present (or after an imperative).

*Me **sorprende** que **vaya** a su casa.*

The imperfect subjunctive usually appears after a main verb in the imperfect or preterite.

***Querían** que **comiéramos** con ellos.*

***Pidió** que le **diéramos** su número de teléfono.*

The perfect subjunctive appears after a main verb in the present.

*Nos **sorprende** que todavía **no hayan llegado**.*

The pluperfect subjunctive appears after a main verb in the imperfect or the preterite.

*No **era** verdad que te **hubiéramos olvidado**.*

*No **admitió** que **hubiera visto** a Esmeralda.*

C To make sure you recognize your subjunctive tense forms, and to revise the sequence of tenses, identify the tenses of all the verbs in the following sentences. (A few of them are in the infinitive.)

1 Dudo que hayas comprendido. _____

2 Nos pidió que le ayudáramos. _____

3 ¿Te han permitido salir? _____

4 Queríamos que se hiciera abogado. _____

5 Le sorprendió que la hubiera visto. _____

6 Me permitieron llamarte. _____

7 Quiero que vengáis a verme. _____

8 Tenían miedo que hubiera muerto. _____

Reminder

◆ With the exceptions explained on page 55, you need the appropriate tense of the subjunctive in expressions of wish, hope, instruction and request.

D For each of the following sentences, decide which combination of tenses you will need, from the choices a) and b) given below each one. Then translate the sentences into Spanish on a separate sheet.

1 I want you [*vosotros*] to do something for me.
   a) present, infinitive
   b) present, present subjunctive

2 He hopes that they haven't heard him.
   a) present, perfect subjunctive
   b) perfect, present subjunctive

3 They asked me to bring my photos.
   a) perfect, imperfect subjunctive
   b) preterite, imperfect subjunctive

4 He forbade me to speak.
   a) preterite, present subjunctive
   b) preterite, infinitive

5 I wasn't expecting you [*tú*] to ring me.
   a) preterite, infinitive
   b) imperfect, imperfect subjunctive

6 They didn't believe that you had arrived at 10 p.m.
   a) preterite, pluperfect subjunctive
   b) imperfect, imperfect subjunctive

Reminder

◆ You need to use the subjunctive after expressions of emotion such as hope, regret, surprise, fear and joy.

E Translate the following into Spanish on a separate sheet.

1 I'm surprised that you [*vosotros*] believe that!

2 It's a pity that their cat has died.

3 I'm afraid that he will never come back.

4 He was glad that they had invited her.

Reminder

◆ You need to use the subjunctive after an implication of improbability or untruth, such as:
   It's not true that …
   It's unlikely that …
   I doubt that …
   I can't believe that …

F Use the most appropriate filler from the box to complete each sentence.

1 Dudo que _____ a mi e-mail.

2 No era verdad que Paco y yo _____ sin ella.

3 No podía creer que no la _____ más.

4 No es probable que Mercedes _____ un nuevo coche este año.

5 No es verdad que Ana y Esteban _____ en junio.

quisiera   hayan salido   compre   contestar
se casen   hubiéramos salido
hayas comprado   contesten   hubiera querido
se hayan casado   hacen

◆ You will find that the subjunctive is used in constructions such as the following:
*¿Conoces a **alguien que hable** español?*
But notice that the subjunctive is not needed in the following reply:
*Sí, conozco a **dos personas que hablan** español.*
… unless it is negative …
*Lo siento, aquí no hay **nadie que hable** español.*
The logic is that the subjunctive is only used when there is no certainty that the person or item that is wanted actually exists.

G Underline the subjunctive verbs in the following dialogues (not all the sentences contain one). Then translate the sentences into English.

1 Busco a alguien que sepa preparar empanadas. Mi madre tiene una amiga que sabe preparar empanadas fantásticas.

_____

_____

2 ¿Has hablado con alguien que crea esto? Sí, podría darte los nombres de tres personas que lo creen.

_____

_____

3 Tengo una amiga que sabe bailar el tango. Pero ¿conoces a alguien que sepa tocar la guitarra?

_____

_____

4 Necesito un ordenador que funcione sin problemas. ¡Debes estar loco! ¡No hay ordenadores que funcionen sin problemas!

_____

_____

5 ¿Hay alguien aquí que haya visto a mi perro? ¿Cómo? Busco a un perro pequeño y negro que tiene las orejas blancas. Lo siento, no hay nadie aquí que haya visto a ningún perro.

_____

_____

_____

6 Quiero un piso que tenga vista al parque. Claro, señora. Tenemos dos pisos que tienen una vista fenomenal del parque …

_____

_____

Reminder

◆ The subjunctive is needed after these conjunctions:
de modo que, de manera que (so that); *con tal que, siempre que* (providing that, on condition that); *a menos que, a no ser que* (unless); *mientras (que)* (as long as).
With some conjunctions the subjunctive is needed only if the subjects of the two verbs are different. Compare the following pair of sentences.
Viajé toda la noche para estar contigo.
Te digo eso para que sepas cuánto te quiero.
Conjunctions that work like this are:
para que, a fin de que (in order that, so that); *sin que* (without); *a condición de que* (on condition that); *antes de que* (before).

H Match the sentence halves.

1 Te llamo para ☐
2 No voy a seguir trabajando para ellos ☐
3 Te di este dinero ☐
4 Me han explicado cómo funciona el horno ☐
5 No quería salir ☐
6 Seguiré trabajando para ellos mientras ☐

a para que pudieras pagar tu alquiler.
b sin decirles adiós.
c contarte mis noticias.
d de manera que pueda cocinar para ellos.
e a menos que me den un incremento.
f me paguen bastante.

Reminder

◆ The subjunctive is required in clauses starting with *cuando* that refer to the future.
*Cuando la **veas**, ¡dale saludos de nuestra parte!*

I Use the verbs given in the correct form to fill the gaps in these sentences.

1 Cuando _____ a Madrid, no te olvides de traer tu guitarra. (*venir*)
2 Cuando nuestros amigos _____, iremos al restaurante. (*llegar*)
3 Cuando [ellos] me _____, yo te llamaré a ti. (*llamar*)
4 Cuando [ella] _____ de abrir el archivo, el ordenador va a fallar. (*intentar*)
5 Cuando [tú] me _____ la verdad, valdrá la pena de hablar contigo. (*decir*)

Constructions with si

Reminder

◆ Many, but not all, *si* sentences, require the use of the conditional and the subjunctive.
You do **not** need the subjunctive in the following constructions, where the implication is that the event has already happened or is very likely to happen.
Si + present + imperative (see pages 60–61 on imperative forms)
Si te gusta, ¡cómpralo!
If you like it, buy it!
Si + present + future or present
Si le gusta, lo comprará.
If he likes it, he'll buy it.
Si is also used to mean 'if' in the sense of 'when'.
Si estaba de mal humor, gritaba a todo el mundo.
If/when she was in a bad mood she shouted at everyone.

A Translate the following sentences into English on a separate sheet.

1 Si no quieres venir, no tienes que venir.
2 Si Bernardo no quiere hablar con ella, no es necesario.
3 Si no te gusta la carne, no la comas.
4 Si quieres verme, ¡ven a Madrid!
5 Si hacía sol, pasábamos el fin de semana en el jardín.
6 Si esperas recibir un aumento, tienes que trabajar más duro.
7 Si el tren llegaba a tiempo, me quedaba diez minutos para tomar un café antes de ir a la oficina.
8 Si estamos listos, ¡vamos!

B Match the sentence halves.

1 Si hacemos menos ruido, ☐
2 Si no te gusta la cerveza, ☐
3 Si llovía, ☐
4 Si tu madre te prohibe fumar, ☐
5 Si no quieres comer ese plato, ☐

a ¡escúchala!
b ¡no la bebas!
c déjalo.
d oiremos a los pájaros.
e me quedaba en casa y veía la televisión.

Reminder

◆ *Si* is also used in reporting a question, i.e. to mean 'if' in the sense of 'whether'.
Dime si vas a volver.
Tell me if you're going to come back.
Le preguntó si estaría en casa.
I asked him if he would be at home.

C Identify the tense used before and after *si* in each of the following sentences. Then translate them into English.

1 Me preguntaron si me gustaba la ciudad.
   _____

2 Voy a preguntarles si estarán de vacaciones en agosto.
   _____

3 Cuando llames a María, averigua si va a venir el domingo.
   _____

4 ¿Preguntasteis al recepcionista si podríais entrar?
   _____

5 No me ha dicho si va a trabajar aquí.
   _____

D Translate the following sentences into Spanish. (For 7–10 you may want to revise imperative forms, explained and practised on pages 60–61.)

1 He asked me if had tried the *fabada*.
   _____

2 Martina is going to ask Javier if he wants to go to the disco with her.
   _____

3 I wrote to ask her if I would see her at the party.
   _____

4 I want to check whether they have arrived.
   _____

5 They asked me if I'd like to eat with them.
   _____

6 We asked her if she had enjoyed the film.
   _____

7 Ask her if she has seen my keys.
   _____

8 Tell me if you want to see us at the weekend.
   _____

9 Ask them if they want something to drink.
   _____

10 Check whether he has woken up.
   _____

Reminder

◆ Although you can use indicative tenses to translate 'if x happens, y will happen', you need the subjunctive and the conditional to translate 'if x happened, y would happen'.
Contrast the following pairs of sentences.
Si le toca la lotería, se comprará un Ferrari.
If he **wins** the lottery he **will buy** a Ferrari.
Si le tocara la lotería, compraría seis Ferraris.
If he **won** the lottery he **would buy** six Ferraris.

E Match the sentence halves. Then identify whether the verbs used in the complete sentences are present tense followed by future (PF), or imperfect subjunctive followed by conditional (ISC).

1 Si perdiera mi empleo, ☐
2 Si pierdes tus llaves, ☐
3 Si me llamas mañana, ☐
4 Si supiéramos la verdad sobre eso, ☐
5 Si tuviéramos más dinero, ☐
6 Si mi mujer no fuera alérgica, ☐
7 Si te levantas a las nueve, ☐
8 Si fueran ricos, ☐

a tendré más tiempo para explicarte todo esto.
b comprarían esa casa.
c compraríamos un nuevo ordenador.
d te prestaré las mías.
e te la diríamos.
f tendríamos tres perros.
g no podría ir de vacaciones.
h llegarás tarde.

F Choose and underline the correct alternative each time to complete the sentences.

1 Si la ves, salúdale/le saludaras de mi parte.
2 Si me marchara, ¿me olvidarías/olvidarás?
3 Si salgo/saliera mañana, ¿me acompañas?
4 Si fuéramos ricos, ¿qué harías/hagas?
5 Si fuéramos ricos, ¿qué casa compramos/compraríamos?
6 Si gana/ganara mucho dinero, haría un viaje por el mundo.
7 Si recibe/recibiera un aumento, va a cambiar de coche.
8 Si me quisieras de verdad, ¡no pasarías/pasa horas hablando con ella!
9 Si me quieres/quisieras de verdad, ¡no me dejes!
10 Si fueran más jóvenes, se irán/irían a vivir al norte.

G Complete the following sentences with the correct form of an appropriate verb chosen from the box.

1 Si viviera en el campo …
_____ dos perros y un gato.
_____ legumbres y frutas.
_____ un paseo cada mañana.
_____ a los pájaros – ¡y los tractores!
_____ un coche para hacer las compras.

2 Si viviéramos en la ciudad …
_____ los museos y las galerías.
_____ al cine cada semana.
_____ a nuestros amigos en un bar todas las tardes.
_____ mucho para aparcar el coche.
no _____ ni de aire puro ni de un medio ambiente tranquilo.

3 Si vivieras cerca del mar …
_____ a muchos turistas.
_____ escuchar las olas sobre la playa.
¿_____ a pescar?
¿_____ todos los días?
tus padres _____ a verte en verano.

aprender bañarse cultivar dar necesitar disfrutarse encontrar entender escuchar ir pagar poder tener venir ver visitar

H Translate the following sentence starters into Spanish and complete each one with an idea of your own.
The minister of/for … = *el ministro/la ministra de*

1 If I won the lottery, I would buy …
_____
2 If my friend won the lottery, he/she would …
_____
3 If I were the minister of education, students would …
_____
4 If I were the minister of the environment, the UK would have …
_____
5 If I were the minister for transport, drivers would have to …
_____
6 If I were the minister of defence, I would …
_____
7 If I were the minister for foreign affairs, I would …
_____
8 If I were the prime minister, I would …
_____

The imperative

♦ The imperative is used to give orders or instructions. It has several forms according to the person being instructed. Remember also that instructions can be positive or negative – this also affects their form.
Positive forms are as follows (negative forms are explained on page 61):
The *tú* form is the same as the third person singular of the present tense.   *¡Escucha!*
For the *vosotros* form take the infinitive, and replace the final *-r* with a *-d*.   *¡Escuchad!*
The *nosotros*, *Vd.* and *Vds.* forms are the same as the present subjunctive.
¡Escuchemos!   ¡Escuche!   ¡Escuchen!
Note that for a few common verbs, the normal *nosotros* present tense form is used instead:
¡Vamos! Let's go!

A Translate these phrases into English and say whether the person being instructed is *tú*, *Vd.*, *nosotros*, *vosotros* or *Vds.*

1 ¡Entra! _____
2 Repetid lo que oís. _____
3 Abra el archivo. _____
4 Guardad vuestro trabajo. _____
5 ¡Visitemos Argentina! _____
6 Recuerda estos números. _____
7 Digamos que no – porque no queremos.
   _____
8 Escucha esta música. _____
9 Tomen la primera calle a la derecha.
   _____
10 Probad este vino – ¡es magnífico!
    _____

Reminder

♦ Some verbs have irregular imperative forms (*decir, hacer, ir, poner, salir, venir*). See the tables on pages 86–91.

B Translate the following into Spanish.
1 Tell your sister the film is starting.
   _____
2 Paco, do your homework before you listen to that music!
   _____

3 [*Tú*] Come at eight o'clock and we'll have a drink.
   _____
4 It's cold – put (*tú*) your jacket on!
   _____
5 If you go to Madrid, go to the Plaza Mayor first.
   _____

Reminder

♦ Object pronouns and reflexive pronouns are added to the end of imperatives. Remember that if there is a direct object pronoun and an indirect one, the indirect one comes first.
Dámelo.   Give me it.
Note that the *vosotros* form drops its final *d* when the reflexive pronoun *os* is added.

C Translate sentences 1–5 into English.
1 ¡Dadme esos libros! _____
2 ¡Sentaos! _____
3 ¡Callaos! _____
4 ¿Entendisteis la pregunta? Bueno, ¡contestadla!
   _____
5 Escuchad la grabación. _____

Now use the *tú* imperative form to translate sentences 6–10 into Spanish.
6 Give me those pens! _____
7 Stand up! _____
8 Behave yourself! _____
9 Have you understood the problem? Well, tell me the solution! _____
10 Look at the screen. _____

Use the *nosotros* imperative form of each verb to complete sentences 11–15.
11 _____ los libros. (*esconder*)
12 _____ los bolis a la basura. (*tirar*)
13 _____ en el suelo. (*sentarse*)
14 _____ una respuesta ridícula. (*dar*)
15 _____ otra canción. (*poner*)

D Use the *Vds.* imperative form of each verb to complete the sentences.
1 Por favor, señores, _____ un libro cada uno. (*tomar*)
2 Bueno, _____ aquí. (*sentarse*)
3 _____ esta grabación. (*escuchar*)
4 _____ a la oficina y arreglaremos todo. (*venir*)
5 _____ el vino, creo que les gustará. (*probar*)

E Complete the table of positive imperatives.

	hablar	levantarse	comer	repetir
tú		levántate		
Vd.	hable			
nosotros	hablemos			
vosotros			repetid	
Vds.		coman		

Reminder

◆ For negative imperatives, the present subjunctive forms are used throughout.
Object pronouns come before the verb rather than being attached to the end of it:
¡No me dejes!

F Complete the table of negative imperatives.

	hablar	levantarse	comer	repetir
tú		no te levantes		
Vd.	no hable			
nosotros	no hablemos			
vosotros				no repitáis
Vds.			no coman	

G Identify whether the following instructions are for *tú*, *Vd.*, *nosotros*, *vosotros*, or *Vds.* Then make the negative commands positive.

1 ¡No me olvides!_____
2 No vengas antes de las ocho.
_____
3 ¡No se sienten allí, señoras!
_____
4 No os levantéis, por favor. _____
5 No vayamos a la playa. _____
6 No me escribas. _____
7 No comáis esos bocadillos.
_____
8 No aparquen aquí. _____
9 No salgamos hoy. _____
10 No jugéis en el parque. _____

H Translate the following negative commands into Spanish.

1 Don't forget to bring your music with you! (*tú*)
_____
2 Don't sit on that chair – it's broken. (*Vd.*)
_____

3 Don't worry, ladies! (*Vds.*)
_____
4 Don't eat those prawns, children! (*vosotros*)
_____
5 Let's not go to school tomorrow. (*nosotros*)
_____
6 Don't let your dog come into my garden, please! (*vosotros*)
_____
7 Don't put the TV on before you finish your homework. (*tú*)
_____
8 Let's not worry about that. (*nosotros*)
_____
9 Come in here, gentlemen. (*Vds.*)
_____
10 Don't leave the bathroom like that, Mercedes! (*tú*)
_____

Reminder

◆ Remember that in Spanish the infinitive, not the imperative, is used for public instructions such as road signs, in recipes, and in instructions for constructing things.

I What is the likely wording in English for the following instructions?

1 No asomarse por la ventana.
_____
2 Añadir el azúcar y la harina.
_____
3 No aparcar aquí, por favor.
_____
4 Mantenerse a su derecha.
_____
5 Pelar las manzanas y cortarlas.
_____
6 Sujetar la parte A a la parte B con clavos C.
_____
7 No hacer ruido después de las once.
_____
8 Seguir las flechas azules.
_____
9 Poner en agua hirviendo durante cinco minutos.
_____
10 Conservar en un lugar fresco y seco.
_____

61

The passive and how to avoid it

- In an active sentence, the subject 'does' the action of the verb.
  Nos ofrecen nuevos productos.
- In a passive sentence, the subject has something done to it.
  Nuevos productos son ofrecidos.
- The passive can be used when the subject of the verb is unknown. It can also be used for impact, as above, where *nuevos productos* is more prominent when it is the subject of the sentence. However, the passive is not used in Spanish as often as in English and this section includes advice and practice on common alternatives to it.

A Tick the six sentences where the passive is used. Notice that in one of them there is a passive form using *verse*.

1 Los jóvenes son muy influidos por la televisión. ☐
2 Los reality shows son muy populares. ☐
3 ¿Por qué son tantas horas dedicadas a un pasatiempo tan pasivo y tan poco sociable? ☐
4 A mi ver, demasiada violencia es vista en programas que son transmitidos temprano por la noche. ☐
5 ¡Los grandes descubrimientos no fueron hechos en la época de la televisión! ☐
6 No es posible subestimar el papel educativo de los medios de comunicación. ☐
7 Los jóvenes continuamente son bombardeados con anuncios. ☐
8 Me veo obligado a llegar a la conclusión que la influencia de la televisión sobre los jóvenes no es muy positiva. ☐

Reminder

- The passive in Spanish is formed by using part of the verb *ser* and a past participle. The past participle must agree – masculine/feminine, singular/plural – with the subject.
  Present passive:
  *Los adultos también **son influidos** por la televisión.*
  Adults **are influenced** by television too.
  Preterite passive:
  *Los ordenadores **fueron actualizados** durante el fin de semana.*
  The computers **were upgraded** over the weekend.

B Draw up a table using the headings below. Copy out the seven passive phrases from exercise A into the table below and then indicate which tense each is in, and the gender (M/F) and number (sing./plur.) of the subject.

Phrase	Tense	Gender and number

C Now, on a separate sheet, translate into English the sentences you ticked in exercise A, underlining the passive construction in English, i.e. a part of the verb 'to be' and a past participle.

Reminder

- 'By' is usually translated by *por*, but after a few verbs you should use *de*, as you will see in the following exercise.

D Match up the sentence halves. Then identify four verbs that are followed by *de* in the passive.

1 Nuestra vida es cada vez más ☐
2 Personalmente, yo sé que demasiado de mi tiempo ☐
3 ¡Lo difícil es que los navegantes de Internet ☐
4 Cada enlace es ☐
5 Un problema es que todos somos ☐
6 Otro problema, aun más grave, es la vigilancia, que es ☐
7 Pero el problema más grave de Internet es que los niños pueden ser ☐
8 Me veo obligada a decir que el Internet nunca será ☐

a muy temido de los defensores de derechos civiles.
b son rodeados de posibilidades interesantes!
c amado por todos.
d seguido por muchos otros.
e puestos en peligro por los sitios y los contactos malos.
f es malgastado navegando en Internet.
g influida por el Internet.
h tentados a pasar demasiado tiempo y gastar demasiado dinero.

E Now translate the complete sentences into English on a separate sheet, underlining the passive construction each time.

F Rewrite the following active sentences in the passive, using the same verbs and tenses.

1 Marco Martínez escribió otro artículo muy polémico.

2 Su colega Guillermo González hizo las fotos.

3 En el artículo critica a una política muy importante.

4 Acusa a esta señora de aprovecharse de su puesto para hacerse rica.

5 Continuamente la ven en restaurantes muy exclusivos, acompañada de hombres de negocios.

6 Según Martínez, el gobierno dio unos contratos importantes a estos mismos hombres de negocios.

7 En algunas de las fotos la vemos charlando y bebiendo con personas famosas.

8 La política ignora nuestras preguntas.

Reminder

◆ In Spanish the passive tends to be used in formal contexts such as newspaper reports. Elsewhere it is common to avoid it by using other constructions.

G Find and underline the construction in each sentence that is being used to avoid the passive. Then translate the sentences into English using a passive form.

1 Aquí se habla inglés.

2 El documento secreto lo encontró un peatón en la calle.

3 Fabrican estos zapatos en México.

4 Alguien me dijo que habías llegado.

5 El café se conserva en el frigorífico.

Reminder

◆ If you use a reflexive to replace the passive, you need the se form in the singular or the plural according to the subject. However, be careful when using reflexive forms in this sense when referring to people. For example, se atacó could mean 'he attacked himself' or 'he was attacked'.
You can use se with people but only in the following way, using an additional object pronoun or the personal a:
Se lo atacó en su propia casa.
Se atacó a él en su propia casa.
Think of se as meaning 'someone' in order to get the rest of the construction right.
Note the following useful reflexive expressions: *se cree que, se dice que, se sabe que, se teme (de) que.*

H One word is missing in each of the following sentences. All the missing words are given in the box below. Identify the word and its correct position.

1 Aquí hablan español y francés.
2 Se vio ladrón saliendo de la casa.
3 Se cree ha muerto.
4 Se tomates muy baratos aquí.
5 Se la del robo.
6 Se que no es la responsable.
7 Se entrevistó por la televisión.
8 Dice que comer demasiada carne no es sano.

| que | al | acusó | se | sabe | venden | la | se |

Reminder

◆ The other most common way to avoid the passive is to use the third person plural form of the verb; the subject is taken to be an impersonal 'they'.

I On a separate sheet, translate sentences 1–4 into English using passive forms. Then translate sentences 5–8 into Spanish using third person plural forms.

1 Fabrican estos juguetes en China.
2 Mandan todos los documentos por mensajero.
3 Guardan toda la comida en el frigorífico.
4 A Maribel le preguntaron si tenía alguna cosa afilada en su maleta.
5 We have been told that she is coming tomorrow.
6 They were accused of stealing the boss's computer.
7 His book was published last week.
8 Every year all our cherries are eaten by the birds!

63

Infinitive constructions

- In a two-verb construction the first, 'dependent' verb depends on who is doing the action and the second verb is in the infinitive.

A considerable number of Spanish verbs can be used with a second verb in the infinitive. For example:

*¿Me **permite fumar**?*

*¿Quieres salir esta tarde? Sí, gracias, **me gustaría mucho tomar** una copa contigo.*

***Intentábamos abrir** la puerta.*

Verbs that operate in this way are listed below. Remember, however, that if the subject of the two verbs is not the same, you may need the subjunctive (see page 55), e.g. *Espero **verla*** but *Espero **que me veas**.*

Verbs expressing desire, hope, preference, willingness, pleasure: *desear, esperar, gustar (a), preferir, ofrecer, querer*

Verbs expressing decision, effort, intention, permission: *decidir, dejar, intentar, pensar, permitir*

Verbs expressing ability to do something: *saber, poder, lograr*

Verbs expressing necessity or obligation: *necesitar, deber*

A Give the English meaning of the verbs listed in the Reminder box.

B Underline the dependent verbs and circle the infinitives.
1. David y Margarita han decidido pasar una semana cerca del mar.
2. Les gusta relajarse en un lugar tranquilo.
3. Prefieren encontrar una pequeña playa sin demasiada gente.
4. Piensan ir a Asturias.
5. Han ofrecido llevar a Rosa con ellos.
6. Rosa quiere irse con ellos pero sus padres no le permiten viajar.
7. Tiene exámenes este año y, si quiere aprobar, debe estudiar.
8. Después de sus exámenes podrá descansar un poco.

C Construct the second sentence in each case, based on the prompts.
Example: *Julio decidió buscar trabajo en Bilbao. Alejandro y Manuel / Sevilla.*

Alejandro y Manuel decidieron buscar trabajo en Sevilla.

1. Ellos necesitan comprar un ordenador nuevo. Ella/nuevo teléfono móvil.
2. Yo sé hablar español. Mi amigo/portugués.
3. Hemos logrado terminar nuestros deberes. ¿Vosotros/los vuestros?
4. Elena no pudo venir porque estaba enferma. ¡Y tú/estabas demasiado ocupada!
5. ¿Quieren ver la exposición de Miró? Nosotros/Dalí.
6. A mi madre le gusta ver las películas de Almodóvar. A mi padre/las películas americanas.
7. ¿Prefieres comer en casa? ¡Nosotros/en un restaurante!
8. Los estudiantes deberían escuchar al profesor. Pero ¡el profesor/los estudiantes también!
9. ¿Intentasteis contactar con la policía? Nosotros/con un médico.
10. Tu hermana piensa hacerse programadora. ¿Por qué tú no/traductor?

- *Hacer* with an infinitive has the meaning of making someone do something, or getting something done. For example:
Me hizo explicarle todo. He made me explain everything to him.

D Translate the following into English.
1. Hay que hacer venir a un médico.
2. Deberías hacer arreglar tu coche.
3. ¿Es posible hacer callar a esos niños?
4. Vamos a hacer instalar una nueva cocina.
5. Hacemos pintar la casa cada tres años.

E Match the sentence halves.

1 Los niños juegan en el parque ☐
2 Hoy descanso ☐
3 Tiene que irse a Madrid ☐
4 Si quieres aprobar tu examen de música ☐
5 Si ahorra el dinero ☐
6 Tuvo que salir temprano ☐
7 Cuando mi madre era joven ☐
8 Belén, ya son las ocho – ☐

a porque su avión salía a las siete.
b ¡tenemos que darnos prisa!
c pero tienen que volver a casa antes de las once.
d no tendrá que pedir prestado al banco.
e tienes que practicar todos los días.
f pero mañana tengo que trabajar.
g tenía que ir al colegio a pie.
h porque no ha logrado encontrar trabajo en su pueblo.

F Translate the following into Spanish.

1 We've got to phone her before nine o'clock. (*tener que*)

_____

2 When she arrived at the hotel she had to complete a form. (*tener que*)

_____

3 Usually you also have to show the receptionist your passport. (*hay que*)

_____

4 Will you [vosotros] have to take a taxi at the airport? (*tener que*)

_____

5 If we want to arrive in Seville before six o'clock, we have to leave right now! (*tener que*)

_____

6 We had to cancel the meeting because the boss had not arrived. (*tener que*)

_____

7 He's diabetic so he has to inject himself every day. (*tener que*)

_____

8 To get to the cinema, you have to take the bus. (*hay que*)

_____

G From the verbs listed above, choose a suitable one and use it in an appropriate form to complete each sentence. Think carefully about which tense or form is most appropriate.

1 ¿No van a _____ hacer ese ruido?
2 En general me gusta conducir pero ¡_____ hacerlo en Madrid!
3 _____ decírtelo – ¡no quiero salir contigo!
4 Finalmente, ayer su madre _____ Jorge de arreglar su bici.
5 Emilio ya sabe tocar el piano, pero ahora _____ tocar el clarinete.
6 Señores, por favor, tienen que hacer sus maletas y _____ para salir.
7 ¿Has _____ fumar? ¡Qué lastima!
8 No sabía que Conchita iba a llegar ayer por la tarde, porque _____ decírmelo.
9 _____ instalar mi piscina; espero terminarla antes del verano.
10 Voy a _____ a estos estudiantes a cantar.

H Translate the following into Spanish on a separate sheet.

1 I don't want to go to that restaurant because I'm afraid of seeing him there.
2 We tried to get in but the door was locked.
3 They have invited us to visit them in their new house.
4 Blanca wants to talk with you (*tú*).
5 I helped him to finish his homework.
6 The work is easy – it consists of answering the phone and welcoming the customers.
7 He stopped smoking two years ago. The sad thing is, he started smoking again two weeks ago!
8 He wanted to phone his parents because he had forgotten to give them the number of his mobile.

Verbs that require different constructions in Spanish

♦ Several common verb constructions require careful translation because they are formed on a different pattern in Spanish. For example, Spanish uses the infinitive and the perfect infinitive (*haber* + past participle) where English uses the gerund '-ing' form, in phrases such as 'on hearing the news' and 'after having heard the news'.
The perfect infinitive is also needed to translate expressions such as 'they must have', 'they should have', 'I may have' and 'you could have'.

A Translate the following sentences into English on a separate sheet.

1 Después de haber oído estas malísimas noticias, me sentía muy deprimido.
2 ¿No recuerdas haberla visto?
3 Ignacio debe haberse ido sin los otros.
4 Al llegar a casa, descubrió que alguien le había robado su coche.
5 Son las once – Daniela debería haber llegado a Santiago.
6 Después de haber pasado tres horas preparando la cena, tomaron una copa de vino.
7 Al terminar mi trabajo cada día, siempre estoy muy cansado.

B Choose the most appropriate verb from the box, and use it in the infinitive or perfect infinitive in Spanish, to complete each sentence.

1 Después de _____ para esta empresa durante ocho años, finalmente decidió buscar otro puesto.
2 Al _____ a Pamplona, fueron directamente al hotel.
3 Después de _____ que le había mentido tanto, no podía quedarse con ella.
4 Al _____ a aquella chica, se enamoró inmediatamente.
5 Después de _____ toda la noche, se acostaron a las seis de la mañana.

| discover work dance arrive meet |

Reminder

♦ There are three Spanish verbs meaning 'to ask':
– *preguntar* means to ask a question, or to ask for/after someone;
– *pedir* means to ask for something, or (used with *que* and the subjunctive) to ask someone to do something;
– *rogar* works like *pedir* but is more formal, and is often best translated as 'request'. It is used in the impersonal reflexive form *se ruega* on public notices.

C Match the sentence halves, then choose the most appropriate verb from the three given above to complete each sentence, using the verb in the correct form.

1 Siempre _____ a nuestros clientes ☐
2 Me _____ que le prestara ☐
3 Tengo un nuevo novio. Cuando vengas, _____ ☐
4 El jefe me _____ por qué ☐
5 _____ a los señores pasajeros que ☐
6 Le _____ que ☐

a había llegado tarde.
b 20 euros.
c no usen su teléfono móvil en este vagón.
d que firmen el libro de visitas.
e les ayudara, pero no podía.
f tu opinión sobre él.

Reminder

♦ Because the verb 'to take' has so many meanings in English, you have to be careful in choosing which Spanish verb to use when translating it.

D Choose the most appropriate verb from the box and use it in a suitable form to fill the gaps in these sentences.

1 La señora Gustavo _____ su ropa de la maleta.
2 ¿Quieres que te _____ al aeropuerto?
3 A veces le dolía la cabeza pero casi nunca _____ pastillas.
4 Me gusta mucho aquella iglesia – _____ unas fotos.
5 Tiene miedo de volar así que _____ el tren.

| tomar sacar llevar coger |

Reminder

- Because the verb 'to become' (or 'to get' in the sense of to become) has no direct translation in Spanish, you have to choose between a number of Spanish constructions according to the meaning and context.

  – to become (as a matter of choice or effort) = *hacerse*

  Se ha hecho abogado. He has become a lawyer.

  – to become or to 'get' (as a matter of course) = *llegar a ser*

  Mi abuela llegó a ser muy difícil cuando estaba enferma. My grandmother became very difficult when she was ill.

  But note: *Se está haciendo tarde.* – It's getting late.

  – to become (in a change of identity) = *convertirse en, transformarse en*

  Este lugar se ha convertido en un desierto. This place has become a desert.

E How would you translate the underlined phrases into Spanish?

1 She went to university but afterwards <u>she became a nurse</u>.
2 That little company <u>has become the biggest in our town</u>.
3 <u>He became a director</u> after working here for 15 years.
4 <u>It was getting late</u> when they left.
5 I've decided <u>I'm going to be a teacher</u>.

Reminder

- Because the verb 'to think' can mean to believe, to have an opinion on something or to consider, you need to choose between *creer*, *opinar* and *pensar* when translating it into Spanish. Note that if you are saying you don't think (believe) something, the following verb has to be in the subjunctive.

F Translate the underlined phrases into Spanish.

1 <u>We're thinking of going</u> to Málaga.
2 She always chooses fish – <u>I don't think she eats meat</u>.
3 On holiday <u>I like to sit on the beach and think</u>.
4 Marco thinks this is the best bar in Seville. I'm not sure, <u>I'll have to think about it</u>.
5 <u>He's thinking of becoming a dentist</u>, but <u>I don't really believe he can do it</u>.

Time constructions

Reminder

- Translating 'for' or 'since' takes some care, both in choosing the right phrase and, with *desde que*, choosing the right tense for the following verb.

A In each of the following passages, underline the phrases that translate 'for' or 'since', and note the tense of each verb that is shown in bold type.

1 El e-mail de Clementina

Acabo de conocer a un chico muy amable. Voy a hablarte de él. **Vive** aquí desde hace tres meses, y **está trabajando** en nuestra oficina desde hace seis semanas. Es francés, pero **vive** en España desde hace diez ãnos y habla perfectamente español. Lo **conozco** desde solamente una semana y ¡creo que me estoy enamorando de él! Desde que **trabaja** con nosotros, hemos salido algunas veces.

2 Los recuerdos de Miguel

Cuando conocí a Ana en **2002**, ella **trabajaba** en Madrid desde hacía dos años. Desde que **estaba** en Madrid, le resultaba difícil hacer amigos, porque era muy tímida. Yo vivía allí desde muchos años y tenía algunos amigos. Se la presenté a ellos. **Estaba saliendo** con Ana desde hacía seis meses cuando decidí que quería casarme con ella. Lo triste fue que descubrí que ella **salía** con uno de estos famosos amigos desde hacía algunas semanas.

Reminder

- To translate 'for' in time expressions, you need *durante*, or *en*, though you only use *en* in negative sentences such as *No la había visto en muchos meses.* You should use *para* if you are referring to a specified period of time in the future, e.g. *Necesito el coche para tres días.*

B Translate the following paragraph into English on a separate sheet.

No he visitado Londres en algunas semanas. Trabajé en la capital durante tres años, y no me gustaba. Vivía en un piso pequeñísimo durante dos años, y después viví en la casa de una amiga. Ella me permitió alquilar un cuarto durante un año, pero todo costaba muy caro. Finalmente me fui de la ciudad el diciembre pasado, y no pienso volver en muchos años.

Revision: more verb forms

A Complete the sentences using the conditional to explain what people would do if they won the lottery.

1 Ignacio (*comprar un Ferrari*)

_____

2 Mónica y Felicia (*viajar por el mundo*)

_____

3 Nosotros (*visitar Nueva York*)

_____

4 Tú (*buscar un nuevo piso*)

_____

5 Ella (*elegir mucha ropa nueva*)

_____

6 Vosotros (*hacer instalar una nueva cocina*)

_____

7 Vds. (*tener una casa en la ciudad y otra en el campo*)

_____

8 Yo (*no cambiar nada*)

_____

B Match the sentence halves.

1 Si no quieres verduras, ☐
2 Si llega temprano, ☐
3 Si fuera rica, ☐
4 Si fueran más simpáticos, ☐
5 Si tuviéramos más tiempo, ☐
6 Si estuvieras aquí, ☐
7 Si quiere ver al señor Roberto, ☐
8 Nos preguntaron ☐

a dígamelo y yo le llamo.
b puede tomar un café mientras me espera.
c les invitaríamos a cenar.
d iríamos más frecuentemente al cine.
e si te habíamos visto cuando estuvimos en Pamplona.
f ¡sírvete ensalada!
g te compraría una casa cerca del mar.
h podría explicarte todo.

C Choose appropriate verbs from the box, and use them in the correct form to complete the sentences.

1 Te aconsejo que _____ de verla.
2 Me han pedido que _____ a ellos dos veces por semana.
3 Esperábamos que Ricardo nos _____ .
4 Estoy muy contento de que [*tú*] _____ a vivir a Madrid.
5 ¡Qué lástima que tu perro _____ !

6 No quiero que (*vosotros*) _____ sin mí.
7 No es probable que me _____ un regalo.
8 Me sorprende que no le _____ , porque vive aquí desde hace dos años.

> ayudar   conocer   dejar   venir   salir   dar
> llamar   morirse

D Translate the following into Spanish.

1 I hope you find a new job.

_____

2 I'm surprised that you (*tú*) haven't left him!

_____

3 Ladies, we are glad that you (*Vds.*) have decided to visit our city.

_____

4 It's not likely that the train will arrive before ten o'clock.

_____

5 I don't believe that he is going to finish the work before July.

_____

6 It wasn't true that I had told them about your (*vosotros*) problems.

_____

7 I never was sure that she really loved me.

_____

8 I'm afraid that he may have had an accident.

_____

E Complete the sentences, choosing the correct imperative form according to the person or people being addressed.

1 ¿Quieres un bocadillo? ¡(*Tomar*) _____ este!
2 Cuando vengas a Londres, no (*olvidarse*) _____ de llamarme.
3 ¿Para llegar al banco? Es fácil, señores – (*doblar*) _____ a la izquierda, y lo verán enfrente del cine.
4 Niños, ¡(*callarse*) _____ ! Trato de leer.
5 No se permite fumar en el tren, señor – por favor, (*apagar*) _____ su cigarrillo.
6 [Vosotros] No (*comer*) _____ estas frutas – no las he lavado.
7 [Tú] (*Escucharme*) _____ – voy a decirte algo muy interesante.
8 [Vd.] (*Decirle*) _____ que venga el viernes.

F Translate the following sentences into English, using the passive.

1 En esa pastelería se venden los pasteles más ricos.
_____

2 Aquí se habla inglés. _____

3 Programas como este no deberían ser transmitidos antes de las nueve.
_____

4 En Italia fabrican los zapatos más elegantes.
_____

5 Encontraron a la víctima en el río.
_____

6 Se entrevistaron a los candidatos el jueves.
_____

7 Se la vio en el supermercado.
_____

G Complete the translations of the following sentences, using the prompts to help you avoid using the passive.

1 Meat, cheese, clothes and fruit are sold in the market.
Se venden _____

2 The boys were seen in that bar.
Se vieron _____

3 Spanish is spoken in many parts of the world.
Se _____

4 The money was found by a child.
El dinero _____

5 It's feared that he has disappeared.
Se teme que _____

6 It's believed that the minister should resign.
Se _____

H Give the Spanish equivalent of each verb, noting what preposition, if any, is required if a second verb in the infinitive follows.

1	to learn	
2	to wait for	
3	to prefer	
4	to prepare for/to	
5	to offer	
6	to consent, agree to	
7	to stop (doing something)	
8	to go back to (doing something)	
9	to be able to	
10	to think of	
11	to start	
12	to have to	
13	to be afraid to	
14	to know how to	

I Translate the following into English.

1 Después de haber trabajado con ella, estaba seguro que no me fallaría.
_____

2 Al llegar al restaurante, buscamos a nuestros amigos.
_____

3 Después de haberla entrevistado, le pidió empezar a trabajar en mayo.
_____

4 Al llegar al hotel, nos rogaron rellenar un formulario.
_____

5 Tomemos una copa, y después cogamos el bús para ir al centro; podemos llevar al perro con nosotros.
_____

6 Va a hacerse ingeniero, pero su madre quiere que se haga médico como su padre.
_____
_____

J Choose the right word from the box to fill each gap in the following paragraph.

¡Estudio (**1**) _____ hace tantos años! Me gustaría (**2**) _____ en España y espero trabajar allí durante un año (**3**) _____ de ir a la universidad. Mi (**4**) _____ mayor (**5**) _____ en la universidad de Pamplona desde hace (**6**) _____ años, y (**7**) _____ allí desde hace tres años; (**8**) _____ en un restaurante (**9**) _____ el primer año. Desde que (**10**) _____ en Pamplona, ha (**11**) _____ muchos nuevos amigos, y no ha venido a vernos (**12**) _____ algunos meses.

hermano dos desde hecho trabajó estudia
en vivir durante vive está antes

Additional grammar for A2

The future perfect

Reminder

◆ The future perfect is used to say what will have happened in the future. It is made up of the future tense of *haber* and a past participle.

A Choose a suitable verb in the future perfect from the box to complete the description of what will have happened by the end of the year.
Antes del fin del año ...
1 Tú _____ de empleo.
2 Manuela y Felipe _____ .
3 Pedro _____ su libro.
4 Vosotros _____ un hijo.
5 Vds. _____ su coche.
6 Nosotros _____ la casa.
7 Yo _____ mis examenes.
8 ¡Todo _____ !

> habréis tenido   se habrán casado   habré aprobado
> habrá cambiado   habrá terminado
> habrás cambiado   habremos hecho pintar
> habrán vendido

Reminder

◆ Remember that in constructions beginning with a time preposition such as *cuando, para cuando, tan pronto como, hasta que* you must use the subjunctive when they refer to the future.

B Choose between the alternatives to complete each sentence. Underline the correct one.
1 Cuando habrás terminado/termines tu trabajo, ven a verme.
2 Tan pronto como habré perdido/pierda seis kilos, saldremos para comer una cena magnífica.
3 Para cuando habrán llegado/lleguen, sin duda ya coman/habrán comido.
4 Antes del fin de semana, habrá comprado/compre esa bici.
5 Hasta que habrán ahorrado/ahorren dinero, no podrán comprar un nuevo coche.

Reminder

◆ The future perfect is also used to imply the assumption, for example, that 'he must have'. It indicates speculation about something that is likely to have happened.
Habrá llegado a Madrid. He must have arrived in Madrid (by now).

C Translate the following into Spanish.
1 She must have misunderstood.
_____
2 They must have learned a lot from that experience.
_____
3 You will have finished that job by tomorrow, won't you?
_____
4 He must have been surprised.
_____
5 What are you saying? You must have had too much to drink!
_____

The conditional perfect

Reminder

◆ The conditional perfect is used to say what would have happened. It is made up of the conditional of *haber* and a past participle. It is used after phrases such as 'I'd have thought that' and 'They expected that'. Remember, however, that if the expectation is negative, you need the subjunctive.

A Underline the conditional perfects and circle or highlight the subjunctives in the following sentences.
1 Creía que habría salido.
2 No fue probable que hubiera salido.
3 Estaba seguro que la habrías visto.
4 No podía creer que la hubieras visto.
5 Creíamos que me habrían llamado.
6 No me sorprendió que no me hubieran llamado.

Reminder

♦ In situations where the event could have happened but evidently has not, here is the construction using *si*:

Si le **hubiera tocado** la lotería, **habría comprado** un Ferrari.

If he **had won** the lottery, he **would have bought** a Ferrari.

The pluperfect subjunctive is followed by the conditional perfect.

B Complete the report on Guillermo, who has been convicted of his first crime, by writing a suitable ending for each sentence. The phrases you need are given in the box below. Then translate the sentences into English.

1 Si los padres de Guillermo se hubieran interesado más por su hijo, _____

2 Si Guillermo hubiera estudiado más en el colegio, _____

3 Si no hubiera visto tantas películas violentas, _____

4 Si hubiera logrado encontrar trabajo, _____

abría sido más motivado

no habría tenido tantas ideas románticas sobre la violencia

se habrían dado cuenta que tenía amigos violentos

habría ido a la universidad

C Form the conditional perfect of these verbs.

1	hablar	[ella]
2	poner	[yo]
3	abrir	[Vds.]
4	decir	[tú]
5	saber	[nosotros]
6	hacer	[ellos]
7	ver	[Vd.]
8	descubrir	[vosotros]

The past anterior

Reminder

♦ The past anterior tense has the same meaning as the pluperfect (see page 45) but you are not likely to use it actively; however, you may come across it in your reading as it is used in literary or formal written Spanish, especially when the writer wants to make a contrast with the preterite. It is usually used after conjunctions such as *cuando*, *tan pronto como*, *en cuanto* and *después de que*.

It is formed with the preterite of *haber* and the past participle.

A In the following sentences, circle the preterite verbs and underline the ones that are in the past anterior. Then translate the sentences into English.

1 En cuanto hubo oído las noticias, vino a verme.

_____

2 Cuando hubieron terminado su trabajo, se marcharon de la casa.

_____

3 Después de que hubieron desaparecido, todos los olvidaron.

_____

4 Apenas se hubieron acostado cuando oyeron otra vez la risa muy ligera de un niño.

_____

5 Tan pronto como el ladrón hubo dejado su emblema acostumbrado – un espejo roto – se escapó.

_____

The passive – more forms

Reminder

◆ You have already worked on ways of avoiding the passive and use of the passive in the present and preterite tenses. The passive can also be encountered in other tenses, but it is always formed from the appropriate part of *ser* with the past participle, as shown here for *ver*.

present	soy, eres etc. visto/a(s)
preterite	fui, fuiste etc. visto/a(s)
imperfect	era, eras etc. visto/a(s)
perfect	he sido, has sido etc. visto/a(s)
pluperfect	había sido, habías sido etc. visto/a(s)
future with *ir*	voy, vas etc. a ser visto/a(s)
simple future	seré, serás etc. visto/a(s)

A Identify the tense of the passive verb in each of the following sentences. Then translate them into English.

1 Hemos sido vistos en este pueblo de vez en cuando. _____

_____

2 Josefina es vista en el mercado cada semana. _____

_____

3 Antes eran vistos en el casino todos los días. _____

_____

4 Javier fue visto en la playa cuando debía estar en el colegio. _____

_____

5 A mi ver, su obra no será comprendida antes de su muerte. _____

_____

6 Las chicas habían sido vistas en el bar el mes anterior. _____

_____

7 La actriz va a ser criticada por los periódicos. _____

_____

The subjunctive – more uses

Reminder

◆ You need to use the subjunctive in clauses starting with the following expressions, but only when the reference is to an event that has not happened yet or may not happen.
cuando, *después de que*, *tan pronto como*, *desde que*, *cada vez que*, *hasta que*, *siempre que* (whenever), *a pesar de que* (despite), *aunque* (although)
When the reference is to an event that has already happened, you can use the indicative. Compare:
Voy a esperar hasta que llegue with *Esperó hasta que llegó.*
The subjunctive is always needed after certain conjunctions:
de modo que, *de manera que* (so that)
con tal que, *siempre que* (providing that, on condition that)
a menos que, *a no ser que* (unless)
mientras (*que*) (as long as)
With some conjunctions the subjunctive is needed only if the subjects of the two verbs are different. Compare the following pair of sentences:
*Viajé toda la noche **para estar** contigo.*
*Te digo eso **para que sepas** cuánto te quiero.*
Conjunctions that work like this are:
para que, *a fin de que* (in order that, so that)
sin que (without)
a condición de que (on condition that)
antes de que (before)

A Translate the following sentences into Spanish.

1 I'm not going to go out unless I finish my work!

_____

2 He didn't want to do it without speaking to you.

_____

3 I'll buy that house on condition that they mend the roof.

_____

4 I'm ringing to ask you how your mother is.

_____

5 Could you (*Vd.*) ring the bell before you come in?

_____

6 She left before I arrived.

_____

7 He has saved lots of money so that they can go on holiday.

_____

8 He's gone to Madrid to look for a job.

_____

B Translate the following into Spanish.

1 He will keep on asking you (*Vds.*) to help until you agree!

_____

2 Although I explained it to her, she didn't understand.

_____

3 As soon as you (*tú*) finish your work, we can have dinner.

_____

4 Since she started her new job, I haven't seen her!

_____

5 When you (*vosotros*) see him, he will no doubt ask you how I am.

_____

Reminder

◆ Remember that you need to use the subjunctive in relative clauses like the one in the question below:
¿Conoces a **alguien que hable** portugués?
where there is an element of doubt because the person referrred to has not yet been identified and is not certain to exist.

C Translate the following into Spanish.

1 Do you know anyone who speaks Russian?

_____

2 I'm looking for a mobile phone that my grandparents can use without problems.

_____

_____

3 Is there someone here who can tell me where calle Mercurio is?

_____

_____

4 I'm sorry, there's no-one here who knows where that street is.

_____

5 There's never anyone in that shop who can help me.

_____

Revision: additional grammar for A2

A For each sentence, write a corresponding sentence in the future perfect to describe what will have happened by the end of the week, as in the example. Antes del fin del domingo …

Example:
El lunes, Verónica va a escribir una carta a sus padres.
Verónica habrá escrito una carta a sus padres.

1 El martes por la mañana, Ignacio va a ver a sus amigos en Madrid.

_____

2 El miércoles por la tarde, vamos a dar un paseo en bici.

_____

3 El jueves por la mañana, Elena y Luisa van a visitar a los abuelos de Luisa.

_____

4 El jueves por la tarde, vas a ver la nueva película de Almodóvar.

_____

5 El viernes, voy a terminar mis tareas domésticas.

_____

6 El sábado, vais a hacer las compras.

_____

7 El sábado por la tarde, vamos a cenar en un restaurante.

_____

8 El domingo por la mañana, Enrique y Pablo van a volver de Pamplona.

_____

B Use the verbs given in the subjunctive or the future perfect as required to complete these sentences correctly.

1 Cuando [*tú*, *ir*] _____ al supermercado, ¿podrías comprarme dos litros de agua mineral?

2 Tan pronto como [*terminar*] _____ su trabajo, Jorge va a salir con sus amigos.

3 Antes de mayo, [*nosotros*, *comprar*] _____ un nuevo ordenador.

4 Para cuando [*vosotros*, *llegar*] _____ al banco, va a estar cerrado.

5 Antes del fin de agosto, [*ellos*, *firmar*] _____ ese contrato.

6 Hasta que [*ella*, *decirme*] _____ su número de teléfono, no puedo llamarle.

73

C Choose the most suitable ending for each sentence and complete the sentences with the prompted verb in the correct form.

1 Si hubiera escuchado la pregunta ☐
2 Estoy seguro que si hubieras pedido dinero a tu hermano ☐
3 Si hubiéramos recibido su carta ☐
4 Si la hubieran visto ☐
5 Si hubiera querido estar con nosotros ☐

a te lo [dar] _____ .
b me lo [decir] _____ .
c ¡[poder] _____ contestarla!
d nos [acompañar] _____ .
e no [preocuparse] _____ .

D On a separate sheet, re-write this passage by putting the sentences in the correct order. (The first sentence is in the right place.) Then translate the passage into English.

Tan pronto como el viejo señor Ruíz hubo llegado a su pueblo natal, descubrió que todo era diferente …
En cuanto hubo pagado, se marchó.
El señor Ruíz se sentó y pidió una sopa.
Cuando hubo terminado de mirar los nuevos edificios, decidió comer algo.
Pidió la cuenta apenas hubo comido.
Por suerte quedaba el viejo bar – después de que se hubo muerto el viejo Manolito, su hijo Manuel continuó con la tradición familiar.

E Express the following passive sentences in another way, as in the example.

Example: Un ministro ha sido criticado por los periódicos porque tiene una amante.
Los periódicos han criticado a un ministro porque tiene una amante.

1 Los políticos siempre han sido criticados por los periódicos.

_____

2 Es bueno que los periódicos no sean impedidos de criticar los errores de nuestros líderes.

_____
_____

3 Pero ¿no te parece que los periódicos mismos deben ser más controlados?

_____
_____

4 A mi ver, los individuos tienen el derecho de que su privacidad sea respetada.

_____
_____

5 Por ejemplo, si es decubierto que un ministro casado tiene una amante, ¿es necesario que todo el mundo sea informado de los detalles?

_____
_____

6 Yo creo que es más importante que el país tenga un gobierno estable y competente – ¡los periódicos deberían ser regulados más estrictamente!

_____
_____

7 Lo siento, pero no estoy de acuerdo. Lo más importante es que la libertad de prensa sea mantenida. Si no son permitidos revelar lo que descubren, los derechos civiles se verían limitados – es comprendido por todos que estos derechos son más importantes que la privacidad de los políticos.

_____
_____
_____
_____

F Decide whether the subjunctive is required in each of the following sentences and choose the correct form of the most appropriate verb from the table below.

1 ¡Te lo digo para que _____ lo que dicen de ti!
2 No podemos salir sin que él _____ sus deberes.
3 ¿Cuánto tiempo vas a esperar? Hasta que _____ .
4 Ahorramos dinero para _____ a nuestro hijo por su cumpleaños.
5 No podremos irnos de vacaciones a menos que me _____ un aumento.
6 A pesar de que _____ un poco locos, me gustan estos chicos.
7 Te diré la verdad a condición de que _____ no enfadarte.
8 Cuando nos _____ , vamos a pasarlo bomba.
9 Después de que _____ aquí me siento más relajada.
10 Siempre que me _____ , hablamos durante una hora o más.

llegamos	llegaramos	lleguen
estés	estoy	soy
den	damos	dan
termines	termine	terminado
visiteis	visitaremos	visitan
sabes	sabe	sepas
regalamos	regalar	regaléis
llames	llamo	llamaré
fueron	sean	están
prometimos	prometes	prometas

Revision of the whole book

A Choose nouns from the box to complete the following passage. You will need to decide each time whether to use a singular or plural form and a definite or indefinite article. Remember also that accents may be affected by your choice of singular or plural forms.

Según (**1**) _____ reciente, (**2**) _____ no comen más como antes. (**3**) _____ ha tenido (**4**) _____ fenomenal, sobre todo entre (**5**) _____, a quienes les gusta comer de prisa. No les interesan más (**6**) _____ tradicionales, y no quieren comer en (**7**) _____ con (**8**) _____. Prefieren comer (**9**) _____ de (**10**) _____ a (**11**) _____ y prefieren (**12**) _____ a (**13**) _____ tinto.

> joven español éxito familia comida rápida
> comida sondeo fabada vino patata frita
> coca-cola porción mesa

B Translate the following sentences into Spanish.
1 This new law is important for Spain's rural economy.

_____

2 Many old Spanish cars are a major source of pollution.

_____

3 Shopping on the internet is quick and easy, and it can be cheap, but it's difficult to know whether the items are of good quality.

_____

4 Evidently the former prime minister wanted to help the poorest families.

_____

5 Many English students want to become wealthy IT specialists.

_____

6 My grandparents love their quiet farm, and the traffic in the large town is too loud for them.

_____

C Choose the appropriate possessive pronoun for each gap to complete the following sentences.

(**1**) _____ padres son mucho más estrictos que los [*tú*] (**2**) _____; me parece que es porque soy chica. Por ejemplo, le permiten a (**3**) _____ hermano de salir con (**4**) _____ novia sin pedirle que vuelva a casa antes de la medianoche, pero cuando yo salgo con el novio (**5**) _____ y pido a (**6**) _____ padre (**7**) _____ permiso para no volver hasta tarde, siempre me dice que no. Los padres de (**8**) _____ novio no lo entienden – les parece que (**9**) _____ padres no tienen confianza en (**10**) _____ hijos. Pero en (**11**) _____ familia hay tres chicos – en la (**12**) _____ somos dos chicas y todo es diferente para nosotras.

D Translate the following sentences into Spanish.
1 Which part of Spain do you [*tú*] prefer? This region or the north?

_____

2 The villages in this region are much poorer than the towns in that one.

_____

3 What is the main reason for the poverty in this region?

_____

4 This soil is very poor, and do you see that river? It's not usually like that; it's dry from May to October so all these farms suffer from a shortage of water.

_____

5 What crops do the farmers grow?

_____

6 Well, on this large farm we grow oranges and avocados; on that little farm you see on the hill, they just grow what they need for themselves and for their animals.

_____

_____

E Give the Spanish for the following phrases.

1   much more important   _____
2   completely different   _____
3   not very fast   _____
4   quite interesting   _____
5   too expensive   _____
6   many times   _____
7   especially difficult   _____
8   really unbelievable   _____
9   very carefully   _____
10 totally impossible   _____

Pages 18–31

A Choose the appropriate preposition from the box to complete each sentence. You may not need all of the prepositions, but you will need to use some of them more than once.

1   Llegaron _____ las nueve _____ la mañana.

2   Tomamos una siesta _____ las dos _____ las cuatro.

3   Te esperaré en el café _____ la iglesia.

4   Yo vivo _____ Pamplona pero mi novio vive _____ 50 kilómetros _____ la ciudad; cada semana viene a verme en autobús.

5   Entrevistaron _____ Felipe el jueves; _____ día siguiente le llamaron _____ ofrecerle el puesto.

6   _____ lo que dicen, el gobierno ha decidido nombrar un nuevo ministro _____ salud.

7   _____ empezar, dobla _____ la derecha; después, sigue _____ la calle Fuentes y verás el cine _____ banco.

8   Los ciclistas pasarán _____ aquí _____ llegar _____ Sevilla.

9   _____ vez _____ cuando vamos _____ Madrid _____ tren _____ ir _____ compras.

10 _____ los cuarenta años todavía jugaba _____ tenis dos veces _____ la semana.

> enfrente de   según   a   al lado del   para
> hasta   en   al   por   de   hasta

B Write out the following sentences replacing the nouns in bold with pronouns. Remember that the pronoun is unlikely to appear in the same position as the noun.

1   Me gusta la televisión; veo **la televisión** cada tarde.

    _____

2   Pusieron el partido en la televisión ayer por la tarde. ¿Viste **el partido**? No, no me interesan los programas de deporte – nunca veo **los programas de deporte**.

    _____
    _____
    _____

3   Y ¿las noticias? Sí, encuentro **las noticias** más interesantes.

    _____

4   ¿Has enviado esa carta a tu abuela? Sí, he enviado **la carta a mi abuela** ayer.

    _____
    _____

5   ¿Tienes tus llaves? No, he perdido **mis llaves**, estoy buscando **mis llaves**. ¿Has visto **mis llaves**?

    _____
    _____

6   Si no te gusta la carne, deja **la carne**.

    _____

7   Lorenzo, ¿has terminado tus deberes? Hay que terminar **tus deberes** antes de ver la televisión.

    _____
    _____

8   Este libro es para Maribel. Si encuentras a Maribel, ¿podrías dar **el libro a Maribel**?

    _____
    _____

C Translate the following sentences into Spanish.

1   I saw him on Sunday and I'm going to see him again tonight.

    _____

2   Look at these flowers! My parents sent me them.

    _____

3   Esteban, you haven't eaten your salad. Eat it, please.

    _____

4   I've seen a great computer game and I know my brother would like it. I'm going to buy him it and that way I'll be able to borrow it as well.

    _____
    _____
    _____

5 Have you seen Antonio Banderas's new film? You must see it – we loved it.

_____

_____

6 That's my sandwich! Give me it, please!

_____

7 They saw her yesterday and told her that he had gone.

_____

8 If you (*Vd.*) see Manuela and Gerardo, tell them to ring me.

_____

D Choose the appropriate relative pronoun or expression from the options given in each sentence and underline it.

1 La ciudad española que/quien prefiero es Salamanca.

2 Mis padres acaban de vender la casa en el cual/en la que viven desde hace veinte años.

3 Ese es el hombre con quien/cuya foto vimos en el periódico ayer.

4 No comprendí el mensaje el cual/que dejaste.

5 El coche de mi profesora, que/el cual es rojo, es muy viejo.

6 La ruta por la cual/donde habéis venido es la más larga.

7 No puedo ir más al restaurante donde/en los cuales la conocí a ella.

8 La contaminación es un problema para quien/el cual tenemos que encontrar una solución.

9 La amiga con quien/con el cual pasé mis vacaciones estudia matemáticas.

10 El amigo que/de quien me prestaba el ordenador de vez en cuando ha decidido venderlo.

E Translate the following questions and answers into Spanish.

1 There are two red rucksacks – which is yours (*tú*)? That one, the larger one.

_____

_____

2 Which photos do you want to keep? This one and this one – I don't like those.

_____

_____

3 Whose house do you prefer – theirs or ours? Yours, of course.

_____

4 Which car is yours (*Vd.*)? That one.

_____

5 I've just finished my chores – I'm not going to do yours as well!

_____

6 Which jeans are you going to buy? Those – they're like yours!

_____

7 My dog is much more affectionate than his – even he prefers mine!

_____

8 Which glasses are yours? Those.

_____

Pages 32–37

A For each sentence, choose a suitable verb from the box and use it in the correct form of the present tense, to fill the gap. In some cases you should use the present continuous. You may use some of the verbs more than once.

1 Los señores Gómez _____ en una casa moderna.

2 Yolanda siempre _____ los sábados por la tarde, y nunca _____ temprano domingo por la mañana.

3 Felicia y yo nos _____ muy bien – _____ en la misma calle desde hace muchos años. Me _____ mucho Felicia; es muy simpática.

4 No molestes a tu padre – está muy cansado y _____ .

5 Todos los meses Mercedes y su marido _____ a los abuelos de Mercedes. _____ un buen almuerzo con ellos, _____ una siesta después, y por la tarde _____ y _____ música.

6 (*Yo*) _____ de recibir un mensaje y ahora _____ otra llamada telefónica.

7 ¿(*Vosotros*) _____ antes de la medianoche generalmente? Sí, _____ la televisión hasta las once y después _____ .

8 Nunca _____ con Enrique cuando _____ , porque siempre _____ furioso si le _____ .

| vivir esperar ver acostarse gustar tomar |
| dormir salir molestar hablar comer |
| visitar escuchar levantarse charlar ponerse |
| conocer trabajar hablar acabar |

77

B For each sentence, use the prompted verb in the correct form of the present tense, to fill the gap.

1 Normalmente Antonio [*jugar*] _____ al fútbol cada domingo, pero hoy no [*poder*] _____ jugar porque no [*sentarse*] _____ bien; [*tener*] _____ dolor de cabeza y le [*doler*] _____ los ojos.

2 ¿Mi rutina diaria? Bueno, [*despertarse*] _____ a las siete, [*levantarse*] _____ a las siete y cuarto y [*salir*] _____ a las ocho. [*Tener*] _____ que tomar el autobús para ir al centro. A veces, antes de ir a la oficina, [*encontrar*] _____ con mi amiga en el café para desayunar. A la una, [*ir*] _____ al bar enfrente de la oficina – unos amigos [*venir*] _____ conmigo de vez en cuando. La oficina [*cerrar*] _____ a las seis y media, y [*volver*] _____ a casa a las siete. [*Cenar*] _____ a las nueve; después [*ver*] _____ la televisión o [*tocar*] _____ la guitarra.

3 ¿Adónde [*tu/ir*] _____?
[*Ir*] _____ al centro – [*hacer*] _____ las compras, ¡como de costumbre! ¿Y vosotros, adónde [*ir*] _____?
[*Ir*] _____ a la playa, y Carmen [*venir*] _____ con nosotros.
¿De verdad? [*Yo/pensar*] _____ que eso es una gran idea.

C Decide which of *ser* or *estar* would be the appropriate choice to translate the verb 'to be' in the following sentences, and explain why in each case.

1 I'm here – in the kitchen!

2 His mother [a] is a really difficult person but today at least she [b] is in a good mood.

3 That boy who [a] is on the stage just now [b] is very tall, isn't he? Yes, he [c] is taller than my brother – you know, the one who [d] is in Madrid.

4 We [a] are younger than them but they [b] are fitter than us, because I [c] am ill and Helen [d] is depressed. They [e] are good friends of ours and [f] are always nearby if we need help.

5 Her new boyfriend [a] is from Brazil; he [b] is an engineer and [c] is studying for some more qualifications. However, they [d] are on holiday at the moment.

D Translate the following sentences into Spanish.

1 He always arrives on time, doesn't he?

2 I never eat hamburgers but I have to admit that I like chips.

3 I'm ringing them again this morning but no-one ever answers the phone in that house.

4 When they go shopping, he buys lots of things and she buys nothing! She doesn't even go into the shops – she doesn't like any of them.

5 I've got no beers left, no wine and no coffee. Nothing to offer my visitors! The good thing is, I never have any visitors. I have no-one to talk to – peaceful, isn't it!

6 Neither Carlos nor José speaks English, and I don't speak Spanish, so we never have anything to say to each other!

Pages 38–51

A Complete the sentences with the perfect tense of a suitable verb chosen from the box. Use each verb once only.

1 Juan _____ tus llaves – las _____ allí, en la mesa.
2 Luisa me _____ que vas a venir a Madrid.
3 Julio, ¿ _____ la nueva película de Antonio Banderas?
4 Hola, Diego, ¿qué _____ hoy? _____ un muy buen día. _____ a mis amigos, _____ mis tareas, y _____ mis vacaciones.
5 Te llamo para decirte que _____ a casa.
6 El ayuntamiento _____ coches en la plaza.

decir telefonear terminar volver prohibir
encontrar hacer pasar reservar poner ver

B Rewrite the following sentences in the preterite tense.

1 Hago mis ejercicios.

2 El ayuntamiento está construyendo un nuevo parking en el centro de la ciudad.

3 No puedo contactarte el jueves.

4 ¿Vais a Salamanca? Sí, vamos a la universidad para visitar a mi hermana.

5 Salimos a las ocho y volvemos a las once.

6 ¿Venden Vds. su casa?

7 Ana y Esteban tienen un hijo.

8 Cuando viene a vernos, lleva a su perro horrible.

9 El sábado comemos en un restaurante, pero el domingo mis padres vienen a comer con nosotros en casa.

10 ¿Viajas a Gerona en tren? No, tomo el autobús.

C Complete the following passage with the **preterite** or the **imperfect** tense of the verbs given in brackets, as appropriate.

Hace treinta años la mayoría de los españoles (**1** *fumar*) _____ y los cigarrillos no (**2** *costar*) _____ mucho. Todo el mundo (**3** *fumar*) _____ por todas partes.
Después, los científicos (**4** *descubrir*) _____ que el tabaco es una causa del cáncer, y el gobierno (**5** *tomar*) _____ medidas para reducir su consumo. Antes, la gente (**6** *tener*) _____ el derecho de fumar en los cines, en el transporte público y en los restaurantes, pero las nuevas leyes (**7** *obligar*) _____ a los empresarios a creer zonas donde está prohibido fumar. La semana pasada, nuestra reportera (**8** *hablar*) _____ con unos clientes sobre este tema. Algunos (**9** *decir*) _____ que la ley (**10** *hacer*) _____ comprender a los fumadores que lo que hacen no es muy sociable. Otros (**11** *preocuparse*) _____ porque a su ver, la ley (**12** *representar*) _____ una reducción de los derechos civiles.

D Use the preterite and imperfect continuous forms to translate the following sentences into Spanish.

1 When they came in, I was reading the paper.

2 When you called, I was having a bath.

3 When you arrived, we were still getting the dinner ready.

4 When I saw him, he was sleeping in the garden.

5 I'm sorry, you told me your name but I wasn't listening.

E Complete these sentences with an appropriate verb from the box in the pluperfect tense.

1 Filomena sacó una mención especial en su examen porque _____ _____ mucho vocabulario.
2 El peatón tuvo que repetir algunas veces que no _____ _____ el accidente.
3 Hoy por la mañana, perdí el tren porque el autobús _____ _____ muy tarde.
4 Los pasajeros estaban todos muy cansados porque su vuelo _____ _____ cuatro horas.
5 Cuando la policía llegó, _____ _____ a la señora al hospital y el agresor _____ _____.
6 La víctima dijo que no _____ _____ a su agresor porque estaba demasiado oscuro.

> ver (x2) llevar retrasarse aprender
> escaparse llegar

F Complete these sentences in the future tense.

1 Dentro de veinte años, _____ menos contaminación. (*haber*)
2 Todo el mundo _____ al trabajo a pie. (*ir*)
3 [Nosotros] _____ solamente productos biológicos. (*comprar*)
4 [Nosotros] No _____ más basura en la calle. (*ver*)
5 Nuestros hijos _____ bañarse en los ríos y el mar sin preocuparse. (*poder*)
6 Los ingenieros _____ nuevos coches más limpios. (*inventar*)
7 Nuevas leyes _____ la selva tropical. (*proteger*)
8 Cada persona _____ todo lo posible para conservar el medio ambiente. (*hacer*)
9 [Nosotros] _____ menos energía. (*consumir*)
10 ¡Nuestro planeta _____ salvado! (*ser*)

Pages 52–59

A Translate the following sentences into Spanish using the conditional tense of the prompted verbs.

1 I would like to travel in Argentina and Peru. (*gustar*)

_____

2 He told me he would arrive at half past ten. (*llegar*)

_____

3 I wouldn't go out with Rafael – he's boring! (*salir*)

_____

4 In your place I would leave my job. (*dejar*)

_____

5 Could you explain this decision to her? (*poder*)

_____

6 A fit person would get there in three hours; I would need four hours! (*llegar*, *necesitar*)

_____

7 I wouldn't see that film if I were you. (*ver*)

_____

8 My mother would say you should be more careful. (*decir*, *deber*)

_____

B Choose the most appropriate form from the options given to complete each sentence.

1 Voy a pedirle que me ayudara/ayude con estas tareas.
2 Prefieren que no lleguemos/hayan llegado demasiado tarde.
3 Me sorprende que no hayas terminado/terminaras ese trabajo.
4 Nuestro jefe no permite que hayan fumado/fumemos en el comedor.
5 Su padre no quería que saliera/salga conmigo.
6 No me gusta que mi madre te hayan hablado/hable así.
7 Espero que Manuela hubiera escuchado/haya escuchado el mensaje que dejé.
8 Fue una lástima que no pudieran/puedan venir con nosotros.
9 Nadia, necesito que me hiciera/hagas un favor.
10 Siento que tu hermano haya encontrado/encuentras tantas dificultades.

C Complete the following sentences with an appropriate form of a suitable verb chosen from the box. You may have a choice of verbs and a choice of tenses.

1 ¡No creo que un amigo mío _____ eso de mí!
2 Espero que _____ que nunca te mentiría.
3 ¿No quieres que mi marido y yo _____ contigo?
4 Cuando _____ a Perú, van a llamarnos.
5 Me sorprendió que _____ allí.
6 Necesitan que les _____ a comprar un piso.
7 Dígale que me _____ en la oficina mañana.
8 Mis padres no permiten que mi hermana y yo _____ películas violentas.
9 No me sorprende que Mario _____ con ella.
10 No pienso que _____ los señores Gómez a Gerona.
11 Sin que me _____ un aumento, no podré ir de vacaciones este año.
12 Le presté mi ordenador para que _____ buscar la información que necesitaba en Internet.

estar	ayudar	salir	saber	venir	llamar	dar
	decir	poder	ver	ir	llegar	

D Translate the following into Spanish, deciding whether or not you need the subjunctive in each case.

1 If you (*tú*) see her, tell her to get in touch with me.

_____

2 If he saw her he would not speak to her.

_____

3 If they don't arrive soon, we shall go out without them.

_____

4 If they arrived on time, I would be amazed.

_____

5 If I could, I would come with you (*Vds.*).

_____

6 If we lived in Madrid, we'd go out every night!

_____

7 If you (*tú*) had explained your problems to me, I would have tried to help you.

_____

8 If he had listened to me, he would not have had these difficulties!

_____

9 If I save up enough money, I'll move to a larger flat, but if I won a million euros, I would leave this town.

_____

10 If you (*vosotros*) had been with us on Sunday, we could all have seen that film.

_____

Pages 60–69

A Complete the following sentences with the correct imperative form as prompted.

1 Hace mucho frío – ¡ _____ los abrigos, niños! (*ponerse*; *vosotros*)

2 No _____ de enviarme un e-mail. (*olvidarse*; *tú*)

3 ¿Tienes el martillo? _____ , por favor. (*pasar*; *tú*)

4 Pablo, ¡_____ en el bar y _____ una copa con nosotros! (*venir, tomar*; *tú*)

5 ¡No _____ , señores! (*preocuparse*; *Vds.*)

6 No _____ los artículos de vidrio y de papel – ¡_____ al centro de reciclaje! (*tirar, llevar*; *Vds.*)

7 ¡No _____ al perro, niños! (*tocar*; *vosotros*)

8 _____ al cine mañana por la tarde. (*ir*; *nosotros*)

9 ¡No me _____ que has perdido tus llaves otra vez! (*decir*; *tú*)

10 ¡_____ y _____ , chicos! (*levantarse, ducharse*; *vosotros*)

B Translate the following sentences into Spanish, finding an alternative to avoid using the passive form.

1 He is often seen in the bar.

_____

2 They were seen in the Marina restaurant yesterday.

_____

3 Señor Martín's shop has been closed down – nowadays fruit and vegetables are sold in the supermarket.

_____

_____

4 I don't like the films that are shown on television in the mornings.

_____

5 These shoes are made in Spain, but those clothes are all made in Korea.

_____

_____

6 My computer has been upgraded and now it is much quicker.

_____

7 She was described as shy but she never stops talking!

_____

8 The building won't be finished before the end of the year.

_____

9 It's feared that many people were killed by the hurricane.

_____

10 It's said that women talk more than men, but by whom is that said?

_____

_____

C Translate the following sentences into Spanish using a verb chosen from the box plus the infinitive of the second verb.

1 Do you (*vosotros*) want to see our photos?

_____

2 I'm hoping to arrive before dinner.

_____

3 He likes playing tennis.

_____

4 They offered to help us but it wasn't necessary.

_____

5 I prefer to travel by train.

_____

6 We're thinking of visiting Barcelona.

_____

7 Do you (*tú*) know how to make gazpacho?

_____

8 He wouldn't let me pay for the meal.

_____

9 We managed to open the door.

_____

10 You've got to read that book!

_____

11 I couldn't understand anything he said.

_____

12 We're having the car mended.

_____

13 They had to sell their house.

_____

14 They made me sing in front of all those people!

_____

15 I need to ask you something.

_____

> lograr   hacer   ofrecer   gustar   saber   desear
> saber   preferir   necesitar   permitir   poder
> esperar   pensar   tener que   hay/había que

D Translate the following into English.

1   Al llegar a Madrid, descubrieron que Michaela había salido.

   _____

2   No recuerdo haberlo dicho.

   _____

3   David debería haber recibido tu mensaje.

   _____

4   Después de haber visto la película, fuimos a un restaurante mexicano.

   _____

   _____

5   Me han pedido de acompañarles.

   _____

6   Se ruega no fumar.

   _____

7   No me preguntes por qué he hecho eso.

   _____

8   Después de haber sacado unas fotos, tomaron una cerveza en la plaza.

   _____

   _____

9   ¿Quieres que te lleve al aeropuerto? No es necesario, voy a tomar el autobús.

   _____

   _____

10   Quiero hacerme traductora.

   _____

11   Este pueblo se ha transformado en un centro importante.

   _____

12   Trabajo para esta empresa desde hace diez años.

   _____

13   Julio vivía en Pamplona desde hacía tres meses cuando la conoció.

   _____

   _____

14   No la hemos visto en algunos días.

   _____

15   Desde que estoy aquí he hecho muchos nuevos amigos.

   _____

Pages 70–74

A On a separate sheet, rewrite the following paragraph in full, using the prompted verbs in the future perfect to fill the gaps.

Antes del fin de semana, Hernando (*comprar*) un nuevo teléfono móvil; vosotros (*hacer pintar*) la casa; yo (*escribir*) mi artículo; tú (*aprobar*) tu examen; nosotros (*terminar*) nuestro proyecto; Cristina (*elegir*) su nuevo coche; y Enrique e Isabel (*volver*) de sus vacaciones.

B Translate the following into English.

1   No estaba seguro de que hubiera cerrado la puerta.

   _____

2   ¿No creías que yo hubiera salido sin ti?

   _____

3   No me parecía probable que les hubieras dicho algo sobre eso a ellos.

   _____

   _____

4   Me sorprendió que hubieran olvidado su nombre.

   _____

5   Esperábamos que hubieran comprendido la situación.

   _____

6   ¿No os sorprendió que se hubieran casado?

   _____

7   Si hubieran tenido bastante dinero, se habrían comprado un coche.

   _____

   _____

8   Si mi hermana hubiera aprobado sus exámenes, se habría ido a Madrid para estudiar.

   _____

   _____

9   Si Tomás hubiera encontrado un puesto, se habría quedado en su pueblo natal.

   _____

   _____

10   Sabes que si te hubiera visto, te habría saludado.

   _____

C Use the subjunctive of the verbs given in the box to translate the following into Spanish.

1 I'm not going to talk to her unless she apologizes.

_____

2 They will want to leave as soon as he arrives.

_____

3 I will keep on trying until I succeed.

_____

4 I don't think they paid much for that computer.

_____

5 Do you know anyone who speaks German?

_____

6 I'm looking for someone who can mend my car.

_____

7 We're looking for a present for Marisol but we can't find anything she might like!

_____

_____

8 I'm telling you this so that you can prepare yourself for their questions.

_____

_____

9 I'll come to the party on condition that you invite Antonio.

_____

10 Unless we all make an effort, the problems of the environment will go from bad to worse.

_____

_____

> invitar reparar pagar hacer un esfuerzo
> tener éxito gustar disculparse prepararse
> llegar hablar

D Find another way of expressing the following passive sentences in Spanish.

1 Aquel ministro va a ser expulsado antes del fin del año.

_____

2 Los chicos habían sido advertidos que no jugaran allí.

_____

3 [Ella] ha sido vista aquí de vez en cuando.

_____

4 Le escucharé pero no seré convencido por nada que pueda decir.

_____

5 Cuando estaba enferma, era visitada por toda la familia.

_____

6 No me dijo que había sido entrevistada para ese puesto.

_____

Verb tables

Verb tables

Regular verbs

infinitive present participle past participle	present	imperfect	simple future	conditional
***-ar* verbs**	hablo	hablaba	hablaré	hablaría
hablar	hablas	hablabas	hablarás	hablarías
hablando	habla	hablaba	hablará	hablaría
hablado	hablamos	hablábamos	hablaremos	hablaríamos
	habláis	hablabais	hablaréis	hablaríais
	hablan	hablaban	hablarán	hablarían
***-er* verbs**	como	comía	comeré	comería
comer	comes	comías	comerás	comerías
comiendo	come	comía	comerá	comería
comido	comemos	comíamos	comeremos	comeríamos
	coméis	comíais	comeréis	comeríais
	comen	comían	comerán	comerían
***-ir* verbs**	vivo	vivía	viviré	viviría
vivir	vives	vivías	vivirás	vivirías
viviendo	vive	vivía	vivirá	viviría
vivido	vivimos	vivíamos	viviremos	viviríamos
	vivís	vivíais	viviréis	viviríais
	viven	vivían	vivirán	vivirían

preterite	present subjunctive	imperfect subjunctive	imperative
hablé	hable	hablara	–
hablaste	hables	hablaras	habla
habló	hable	hablara	hable
hablamos	hablemos	habláramos	hablemos
hablasteis	habléis	hablarais	hablad
hablaron	hablen	hablaran	hablen
comí	coma	comiera	–
comiste	comas	comieras	come
comió	coma	comiera	coma
comimos	comamos	comiéramos	comamos
comisteis	comáis	comierais	comed
comieron	coman	comieran	coman
viví	viva	viviera	–
viviste	vivas	vivieras	vive
vivió	viva	viviera	viva
vivimos	vivamos	viviéramos	vivamos
vivisteis	viváis	vivierais	vivid
vivieron	vivan	vivieran	vivan

Irregular verbs

infinitive present participle past participle	present	future	preterite	imperfect
dar dando dado *to give*	doy das da damos dais dan	daré	di diste dio dimos disteis dieron	daba
decir diciendo dicho *to say*	digo dices dice decimos decís dicen	diré	dije dijiste dijo dijimos dijisteis dijeron	decía
estar estando estado *to be*	estoy estás está estamos estáis están	estaré	estuve estuviste estuvo estuvimos estuvisteis estuvieron	estaba
haber habiendo habido *to have* (auxiliary)	he has ha hemos habéis han	habré	hube hubiste hubo hubimos hubisteis hubieron	había
hacer haciendo hecho *to do*	hago haces hace hacemos hacéis hacen	haré	hice hiciste hizo hicimos hicisteis hicieron	hacía
ir yendo ido *to go*	voy vas va vamos vais van	iré	fui fuiste fue fuimos fuisteis fueron	iba ibas iba íbamos ibais iban

conditional	present subjunctive	imperfect subjunctive	imperative
daría	dé	diera/diese	
	des		da
	dé		
	demos		
	deis		dad
	den		
diría	diga	dijera/dijese	
	digas		di
	diga		
	digamos		
	digáis		decid
	digan		
estaría	esté	estuviera/estuviese	
	estés		está
	esté		
	estemos		
	estéis		estad
	estén		
habría	haya	hubiera/hubiese	
	hayas		he
	haya		
	hayamos		
	hayáis		habed
	hayan		
haría	haga	hiciera/hiciese	
	hagas		haz
	haga		
	hagamos		
	hagáis		haced
	hagan		
iría	vaya	fuera/fuese	
	vayas		ve
	vaya		
	vayamos		
	vayáis		id
	vayan		

infinitive present participle past participle	present	future	preterite	imperfect
oír oyendo oído *to hear*	oigo oyes oye oímos oís oyen	oiré	oí oíste oyó oímos oísteis oyeron	oía
poder pudiendo podido *to be able*	puedo puedes puede podemos podéis pueden	podré	pude pudiste pudo pudimos pudisteis pudieron	podía
poner poniendo puesto *to put*	pongo pones pone ponemos ponéis ponen	pondré	puse pusiste puso pusimos pusisteis pusieron	ponía
querer queriendo querido *to want/love*	quiero quieres quiere queremos queréis quieren	querré	quise quisiste quiso quisimos quisisteis quisieron	quería
reír riendo reído *to laugh*	río ríes ríe reímos reís ríen	reiré	reí reíste rió reímos reísteis rieron	reía
saber sabiendo sabido *to know*	sé sabes sabe sabemos sabéis saben	sabré	supe supiste supo supimos supisteis supieron	sabía

conditional	present subjunctive	imperfect subjunctive	imperative
oiría	oiga	oyera/oyese	
	oigas		oye
	oiga		
	oigamos		
	oigáis		oíd
	oigan		
podría	pueda	pudiera/pudiese	
	puedas		puede
	pueda		
	podamos		
	podáis		poded
	puedan		
pondría	ponga	pusiera/pusiese	
	pongas		pon
	ponga		
	pongamos		
	pongáis		poned
	pongan		
querría	quiera	quisiera/quisiese	
	quieras		quiere
	quiera		
	queramos		
	queráis		quered
	quieran		
reiría	ría	riera/riese	
	rías		ríe
	ría		
	riamos		
	riáis		reíd
	rían		
sabría	sepa	supiera/supiese	
	sepas		sabe
	sepa		
	sepamos		
	sepáis		sabed
	sepan		

infinitive present participle past participle	present	future	preterite	imperfect
salir saliendo salido *to go out*	salgo sales sale salimos salís salen	saldré	salí saliste salió salimos salisteis salieron	salía
ser siendo sido *to be*	soy eres es somos sois son	seré	fui fuiste fue fuimos fuisteis fueron	era eras era éramos erais eran
tener teniendo tenido *to have*	tengo tienes tiene tenemos tenéis tienen	tendré	tuve tuviste tuvo tuvimos tuvisteis tuvieron	tenía
traer trayendo traído *to bring*	traigo traes trae traemos traéis traen	traeré	traje trajiste trajo trajimos trajisteis trajeron	traía
venir viniendo venido *to come*	vengo vienes viene venimos venís vienen	vendré	vine viniste vino vinimos vinisteis vinieron	venía
ver viendo visto *to see*	veo ves ve vemos veis ven	veré	vi viste vio vimos visteis vieron	veía

conditional	present subjunctive	imperfect subjunctive	imperative
saldría	salga	saliera/saliese	
	salgas		sal
	salga		
	salgamos		
	salgáis		salid
	salgan		
sería	sea	fuera/fuese	
	seas		sé
	sea		
	seamos		
	seáis		sed
	sean		
tendría	tenga	tuviera/tuviese	
	tengas		ten
	tenga		
	tengamos		
	tengáis		tened
	tengan		
traería	traiga	trajera/trajese	
	traigas		trae
	traiga		
	traigamos		
	traigáis		traed
	traigan		
vendría	venga	viniera/viniese	
	vengas		ven
	venga		
	vengamos		
	vengáis		venid
	vengan		
vería	vea	viera/viese	
	veas		ve
	vea		
	veamos		
	veáis		ved
	vean		